中華國學經典百部

精華本

# 水经注

〔南北朝〕郦道元 著

于海英 译注

中国书店

图书在版编目（CIP）数据

水经注 /（南北朝）郦道元著；于海英译注 . —北京：中国书店，2023.10
（中华国学经典百部：精华本）
ISBN 978-7-5149-2963-8

Ⅰ . ①水⋯ Ⅱ . ①郦⋯ ②于⋯ Ⅲ . ①古水道—历史地理—中国②《水经注》—译文 Ⅳ . ① K928.4

中国版本图书馆 CIP 数据核字（2022）第 075412 号

水经注
〔南北朝〕郦道元 著　于海英 译注
责任编辑：张菁

出版发行：中国书店
地　　址：北京市西城区琉璃厂东街 115 号
邮　　编：100050
电　　话：（010）63171753（总编室）
（010）63017857（发行部）
印　　刷：三河市嘉科万达彩色印刷有限公司
开　　本：787mm × 1092mm　1/32
版　　次：2023 年 10 月第 1 版第 1 次印刷
字　　数：174 千
印　　张：6（全 300）
书　　号：ISBN 978-7-5149-2963-8
定　　价：1490.00 元（全 50 册）

# 前言

《水经注》是南北朝时期北魏郦道元以《水经》为纲所作的注释，全文经后人不断整理，分为四十卷，基本格式为：先给出《水经》原文，介绍河流和山脉的基本情况，其后给出郦道元注释，包含校订和详细解说。此书不仅介绍了河流与山脉的走向等基础地理知识，还大量地引入与其有关的历史古迹、神话传说、名人逸事，以及人文风俗等，内容丰富多彩，涉猎极广。其中记载的风俗神话等，为还原历史事实提供了非常可靠的史料依据。《水经注》的卓越成就不仅仅局限于地理人文研究，还体现了郦道元出色的文学水准，展示出其独有的清丽风格，具有很高的文学鉴赏价值。

作为知识性和趣味性完美融合的地理专著，《水经注》获得了后世的极高评价。明末清初学者张岱评价郦道元称："古人记山水，太上郦道元，其次柳子厚，近时则袁中郎。"清朝学者刘献廷在《广阳杂记》卷四中将《水经注》称为"宇宙未有奇书"。《水经注》是我国"四大名注"之一，与裴松之《三国志注》、刘孝标《世说新语注》、李善《文选注》并称。

由于《水经注》篇幅较长，包含较多的专业知识，为便于理解和阅读，本书不区分《水经》原文与郦道元注释，选取《水经注》每一卷中最为精彩的神话传说、历史典故与人文风俗的部分，读者既可以在趣味中学习到地理知识，了解我国古代秀丽壮阔的大好河山以及丰富多彩的人文底蕴，也可以对郦道元的语言文字进行深度鉴赏，感受经典的独特之美。

# 目录

# 卷一　河水

【原文】

支僧载《外国事》曰：佛泥洹[①]后，天人以新白緤[②]裹佛，以香花供养，满七日，盛以金棺，送出王宫，度一小水，水名醯兰那[③]。去王宫可三里许，在宫北。以旃檀木[④]为薪，天人各以火烧薪，薪了不燃。大迦叶从流沙[⑤]还，不胜悲号，感动天地。从是之后，他薪不烧而自燃也。王敛舍利，用金作斗，量得八斛[⑥]四斗[⑦]。诸国王、天、龙、神王，各得少许，赍[⑧]还本国，以造佛寺。阿育王[⑨]起浮屠于佛泥洹处，双树及塔，今无复有也。此树名娑罗树，其树花名娑罗佉也。此花色白如霜雪，香无比也。

【注释】

①泥洹（ní huán）：涅槃，也可以作死亡之意。②白緤（xiè）：白色的棉布，可用来做衣服。③醯（xī）兰那：水名。④旃（zhān）檀木：又名檀香、白檀，有极高的收藏价值。⑤流沙：地名。⑥斛：中国旧量器名，也是容量单位，一斛为五斗。⑦斗：计算容积的单位，十升为一斗，十斗为一石。⑧赍（jī）：怀抱着。⑨阿育王：又被称为“无忧王”，古印度摩揭陀国孔雀王朝的第三代国王，佛教护法名王。

【译文】

支僧载《外国事》记载：佛陀涅槃后，天神用新的白衣将其裹起来，用香花来供养。满七日之后，将他安置在金棺内，运出王宫，渡过一条名为醯兰那的小河，这条小河距离王宫北面大约有三里。渡河之后，天神们各自用旃檀木作为柴火来烧，却都点不着。大迦叶从流沙回来，悲号痛哭，感动了天地，从那以后不需要点火，柴枝也能自燃。国王收集了舍利，用金斗来丈量，共八斛四斗。各国王、天龙神王各分得少许，大部分都送回本国建造佛寺。之后阿育王在佛陀涅槃的地方建造佛塔，但佛塔以及佛塔边的两棵树如今都没有了。这两棵树叫娑罗树，所开之花叫作娑罗佉。娑罗佉花如霜雪那般白，香味飘逸绝伦。

【原文】

竺枝《扶南记》曰：林杨国去金陈国步道二千里，车马行，无水道。举国事佛。有一道人命过，烧葬，烧之数千束樵，故坐火中，乃更著石室中，从来六十余年，尸如故不朽，竺枝目见之。夫金刚常住，是明永存。舍利刹见，毕天不朽，所谓智空罔穷，大觉难测者矣。

【译文】

竺枝《扶南记》记载：林杨国距离金陈国陆路两千里，并无水路，只能驾车马来往。这里全国上下都笃信佛教，有个和尚死后举行火葬，烧了许多柴火，可和尚仍然端坐在火中。于是人们将他尸身转移到石室中去，六十多年过去了，尸体还是一如从前，没有丝毫腐烂的迹象，这是竺枝亲眼所见之事。金刚之躯永驻，真正的智慧永远存留，舍利在刹那间显现，恒久不朽，真所谓智空无穷尽，有大觉悟者深不可测啊。

【原文】

支僧载《外国事》曰：维邪离国，去王舍城五十由旬[①]。城周圆三由旬。维诘家在大城里宫之南，去宫七里许，屋宇坏尽，惟见处所尔。释法显云：城北有大林重阁，佛住于此，本奄婆罗女家施佛起塔也。城之西北三里，塔名放弓仗，恒水上流有一国，国王小夫人生肉胎，大夫人妒之，言汝之生，不祥之征。即盛以木函，掷恒水中。下流有国王游观，见水上木函，开看，见千小儿端正殊好。王取养之，遂长大，甚勇健，所往征伐，无不摧服。次欲伐父王本国，王大愁忧。小夫人问：何故愁忧？王曰：彼国王有千子，勇健无比，欲来伐吾国，是以愁尔。小夫人言：勿愁，但于城西作高楼，贼来时，上我置楼上，则我能却之。王如是言。贼到，小夫人于楼上语贼云：汝是我子，何故反作逆事？贼曰：汝是何人，云是我母？小夫人曰：汝等若不信者，尽张口仰向。小夫人即以两手持乳，乳作五百道，俱坠千子口中。贼知是母，即放弓仗。父母作是思惟[②]，皆得辟支佛[③]。今其塔犹在。后世尊成道，告诸弟子：是吾昔时放弓仗处。后人得知，于此处立塔，故以名焉。千小儿者，即贤劫千佛也。

【注释】

①由旬：古印度的长度单位。据佛音论师说，一由旬相当于一头公牛走一天的距离，大约十一公里。②思惟：在佛教中为“妄想”之意。③辟支佛：辟支迦佛陀的简称，指过去生曾经种下因缘，出生在无佛之世，无师友教导，而以智慧独自悟道的人，亦称“独觉”。

【译文】

支僧载《外国事》说：维邪离都城距离王舍城五十由旬，城墙周围长三由旬。维诘家在大城里宫以南，与王宫相距七里左右，但宫殿都已经毁坏了，现在只能见到遗址了。法显和尚说：城北有大林重阁，佛陀在这里住过。这地方原本是奄婆罗女家施舍给佛陀建塔的。城西北三里处，有一座放弓仗塔。恒水上流有一个国家，国王的小夫人生了个肉胎，大夫人很是嫉妒，于是就对小夫人说：你所生之物，是不祥的象征。然后便用木盒子将肉胎装起来，投到恒水中去。有个国王在下流游赏，看见水上有个木盒子，捞起来一看，只见里面有一千个婴儿，每个孩子都长得十分俊秀，就收养了他们，这些孩子长大后勇武无比，四处征伐，所到之地没有不被征服的。紧接着他们想要去攻伐亲生父王的国家，国王为此感到忧愁。小夫人问道：大王，您为何这般忧愁？国王说：那位国王有一千个儿子，都十分勇武，现在要来进攻我们的国家了，所以我很忧愁。小夫人道：您别担心，您只要在城西盖一座高楼，当敌军来犯，让我登上高楼，我有办法让他们退兵。国王按她所言而行。敌人临城，小夫人在楼上对他们说：你们都是我的儿子，为什么要做如此大逆不道的事？敌军说：你是何人，胆敢妄言是我们的母亲？小夫人说：如果你们不相信，那就都仰面张口对着我。小夫人用双手挤奶，每只乳房都飞出五百滴乳汁，滴滴都落入那千子之口。他们这才知道她真的是自己的母亲，立即放下了弓箭兵器。父母心里有这样的妄想，都成为了辟支佛。如今那座塔还在。后来世尊得道，告诉弟子们说：从前我在这地方放下了弓箭兵器。后人知晓这一故事后，就在那里建造了一座塔，以放弓杖塔命名之。那一千个孩子就是贤劫千佛。

【原文】

竺法维曰：迦维卫国，佛所生天竺国也。三千日月、万二千天地之中央也。康泰《扶南传》曰：昔范旃①时，有嘾杨国人家翔梨，尝从其本国到天竺，展转②流贾，至扶南，为旃说天竺土俗。道法流通，金宝委积，山川饶沃，恣所欲。左右大国，世尊重之。旃问云：今去何时可到？几年可回？梨言：天竺去此，可三万余里，往还可三年逾，及行，四年方返，以为天地之中也。

【注释】

①范旃（zhān）：扶南国王。②展转：即“辗转”。

【译文】

竺法维说：迦维卫国就是佛陀的出生地天竺国，它处于三千日月、一万二千天地的中央。康泰《扶南传》说：从前范旃时期，曾经有嘾杨国人家翔梨从他的本国去到天竺，一路上靠着做买卖，辗转到了扶南，他将天竺的风土习俗讲述给范旃听。那里盛行佛教，有堆积成山的金银财宝，丰饶肥沃的山川，应有尽有，相邻的国家都很尊重它。范旃问道：现在启程，多久能到？多久可以回来？家翔梨说：天竺离这里约三万余里，来回一趟要三年多。范旃果真动身前往天竺，结果四年方才返回，他确信天竺的确是天地的中央。

【原文】

恒水又东迳蓝莫塔。塔边有池，池中龙守护之。阿育王欲破塔作八万四千塔，悟龙王所供，知非世有，遂止。

【译文】

恒水又往东流经蓝莫塔，塔边有池，池里头有龙守护着。阿育王想要拆掉这座塔，然后分建成八万四千座塔，而后忽然顿悟，知道这座塔是龙王供奉所用，并不是人间所拥有的东西，于是就停止了这一工程。

【原文】

恒水又东至五河口，盖五水所会，非所详矣。阿难[1]从摩竭国向毗舍利，欲般泥洹，诸天告阿阇世王[2]，王追至河上；梨车[3]闻阿难来，亦复来迎，俱到河上。阿难思惟：前则阿阇世王致恨，却则梨车复怨，即于中河入火光三昧，烧具两般泥洹。身二分，分各在一岸。二王各持半舍利还，起二塔。

【注释】

①阿难：为佛陀十大弟子之一，全称阿难陀。②阿阇（shé）世王：佛陀时代，印度摩竭陀国频婆娑罗王及皇后韦提希的太子。③梨车：梨车族，古印度的一个部落。

【译文】

恒水又向东流到五河口，这里大概是五条河水汇合之地，但具体情况不得而知。阿难从摩竭国去到毗舍利，想要在那里涅槃。诸天神向阿阇世王告知了这一消息，阿阇世王追到河上。梨车族人听闻阿难来了，都到河上迎接阿难。阿难心道：倘若向前走，阿阇世王会恼恨至极，如若向后退，梨车的君王又会抱怨，于是就在河中央跳入三昧真火之中以求解脱，他的身体被烧成了两半，两岸各有一半。两位君王各自拿了那半份舍利归去，修建了两座塔。

# 卷二　河水

【原文】

《汉书·西域传》曰：于阗[1]之西，水皆西流，注西海。又西迳四大塔北，释法显所谓纟尸罗国[2]。汉言截头也。佛为菩萨时以头施人，故因名国。国东有投身饲饿虎处，皆起塔。又西迳揵陀卫国北，是阿育王子法益所治邑。佛为菩萨时，亦于此国以眼施人，其处亦起大塔。又有弗楼沙国，天帝释[3]变为牧牛小儿，聚土为佛塔，法王因而成大塔，所谓四大塔也。

【注释】

①于阗（tián）：古代西域王国，中国唐代安西都护府安西四镇之一。②纠（jiū）尸罗国：古地名。③天帝释：亦称帝释天，全名为释提桓因陀罗，简称因陀罗。他是佛教二十诸天中的第二位天主，也是印度教最高神祇。

【译文】

《汉书·西域传》记载：于阗的西面，水都向西流，汇入西海中。又向西流经四大塔的北面，也就是法显所说的纠尸罗国，翻译成汉语就是“断头”的意思。佛陀在做菩萨的时候，曾经将自己的头施舍给了别人，所以其才有了这样的国名。这个国家的东面是佛陀舍身喂养饿虎之地，后来兴修了佛塔。又向西流经揵陀卫国的北面，这里是阿育王之子法益治理的城邑。佛陀在做菩萨时，在这个国家还曾将自己的眼珠施舍给别人，那个地方如今也修造了大塔。又有个弗楼沙国，天帝释在那个地方变成了放牛的牧童，他用泥土堆砌成一座佛塔，法王就在这座小塔的基础上建起了一座大塔。上面所提及的塔就是所谓的四大塔。

【原文】

《法显传》曰：国有佛钵，月氏王大兴兵众，来伐此国，欲持钵去，置钵象上，象不能进；更作四轮车载钵，八象共牵，复不进。王知钵缘未至，于是起塔，留钵供养。

【译文】

《法显传》记载：弗楼沙国有佛钵。月氏王征调了大军，准备攻打这个国家，想要夺走佛钵，将佛钵放在象背上带走，可是大象却不能够行进。于是他又换了一辆四轮车来将佛钵载走，可是用八头大象合力拉车，车仍纹丝不动。月氏王领悟到自己与佛钵的缘分未到，于是就在原地造了一座塔，留佛钵在塔中受供养。

【原文】

钵容二斗，杂色而黑多，四际分明，厚可二分[1]，甚光泽。

贫人以少花投中便满；富人以多花供养，正复百千万斛，终亦不满。佛图调[②]曰：佛钵，青玉也，受三斗许，彼国宝之。供养时，愿终日香花不满，则如言；愿一把满，则亦便如言。又按道人竺法维所说，佛钵在大月支国，起浮图，高三十丈，七层，钵处第二层，金络络锁县钵，钵是青石。或云：悬钵虚空。须菩提[③]置钵在金机上，佛一足迹与钵共在一处。国王、臣民，悉持梵香[④]、七宝[⑤]、璧玉供养塔迹。佛牙、袈裟、顶相舍利，悉在弗楼沙国。

【注释】

①分：长度单位，寸的十分之一。②佛图调：天竺人，师从佛图澄。③须菩提：佛陀十大弟子之一。因为他在佛陀弟子中最善解空理，故被誉为“解空第一”。④梵香：烧香的书面语，古人多以焚香来祭祀。⑤七宝：佛教七宝，是指七种珍宝，不同经书中所译的七宝各不相同。一般意义上所说的佛教七宝是指砗磲、绿松石、青金石、蓝砂石、金沙石、黄玛瑙、红珊瑚。

【译文】

钵能够容纳两斗的东西，其颜色繁杂，但还是以黑色为主。四周的轮廓分明，厚度大约有二分，光泽非凡。穷人将很少的花投入佛钵中就能够装满它，而富人用诸多的花来供养，哪怕是成百上千万斛，却始终装不满佛钵。佛图调说：用青玉做成的佛钵，能容纳下三斗左右，被这个国家视作国宝。在供养的时候，只要心中期望它香花长久装不满，就能够如愿；如果希望一把花就能装满它，同样也会如愿。又按道人竺法维所说，佛钵置于大月氏国，（国王）兴修了一座宝塔，高度约三十丈，共修筑了七层，佛钵就放在宝塔的第二层。这个钵被金丝网包裹起来，用青石做成。也有人说钵是悬空飘浮着的。须菩提将佛钵置于金几上，佛陀的一个足印和钵处于同一个位置，国王和臣民手中都捧着梵香、七宝、璧玉来供奉塔迹。佛牙、袈裟、顶相舍利，这些物品全都放置在弗楼沙国。

【原文】

敦煌索励[①]，字彦义，有才略。刺史毛奕表行贰师将军，将[②]酒泉、敦煌兵千人，至楼兰屯田，起白屋，召鄯善、焉耆、龟兹三国兵各千，横断注滨河。河断之日，水奋势激，波陵冒堤。励厉声曰：王尊[3]建节，河堤不溢；王霸[4]精诚，呼沱不流。水德神明，古今一也。励躬祷祀，水犹未减，乃列阵被杖，鼓噪讙叫[5]，且刺且射，大战三日，水乃回减，灌浸沃衍[6]，胡人称神。大田三年，积粟百万，威服外国。

【注释】

①索劢（mài）：疑为人名。②将：名词作动词，统领，率领。③王尊：字子赣，西汉末年著名大臣，涿郡高阳（今河北高阳县）人。其人清正廉洁，忠直敢言，办案严明。④王霸：字元伯，东汉将领，颍川颍阳（今河南许昌西）人，云台二十八将之一。⑤讙（huān）叫："讙"通"欢"，喧哗叫嚷。⑥沃衍：土地肥美平坦。

【译文】

敦煌索劢，字彦义，为人有才识胆略。刺史毛奕举荐他为贰师将军，率领着酒泉、敦煌士兵一千人，到楼兰去屯田。搭起了茅草屋，召集鄯善、焉耆、龟兹三国士兵各一千人，筑坝横截注滨河。河道截流那天，水势凶猛激荡，波涛翻越至堤上。索劢厉声高喊：王尊执持符节，河堤故不再溢水；王霸精诚所至，呼沱河水便不再奔流。水中若有神灵，从古至今应当一致。他亲自祈祷祭祀，可是水势仍然不减，于是摆开阵势，手持兵器，狂呼呐喊，边刺边射，如此大战了三日，水势才逐渐减退下来，平缓地灌溉着肥沃的平原，胡人视其为神人。这样竭尽全力耕种了三年，积累了百万的粮食，威名震慑外国。

【原文】

释氏《西域记》曰：国有佛浴床[1]，赤真檀木作之，方四尺。王于宫中供养。汉永平十八年，耿恭以戊己校尉，为匈奴左鹿蠡王所逼，恭以此城侧涧傍水，自金蒲迁居此城。匈奴又来攻之，壅绝[2]涧水。恭于城中穿井，深一十五丈，不得水。吏士渴乏，笮[3]马粪汁饮之。恭乃仰天叹曰：昔贰师拔佩刀刺山，飞泉涌出。今汉德神明，岂有穷哉？整衣服，向井再拜，为吏士祷之。有顷，水泉奔出，众称万岁。乃扬水以示之，虏以为神，遂即引去。

后车师叛，与匈奴攻恭，食尽穷困，乃煮铠弩，食其筋革。恭与士卒同生死，咸无二心。围恭，不能下。关宠上书求救。建初元年，章帝纳司徒鲍昱之言，遣兵救之。至柳中，以校尉关宠分兵入高昌壁，攻交河城，车师降。遣恭军吏范羌，将兵二千人迎恭，遇大雪丈余，仅能至。城中夜闻兵马，大恐。羌遥呼曰：我范羌也。城中皆称万岁，开门相持涕泣。尚有二十六人，衣屦穿决，形容枯槁，相依而还。枝河又东迳莎车国南。

【注释】

①佛浴床：是佛教传统活动浴佛时用来放置佛像的浴床。②壅（yōng）绝：阻塞断绝。③笮（zé）：压榨。

【译文】

释氏《西域记》有言：（疏勒）国里有佛浴床，以赤真檀木制作而成，大小四尺见方，国王将其供养在宫中。汉永平十八年，耿恭任戊己校尉，遭到匈奴左鹿蠡王的逼迫。耿恭鉴于此城近溪涧而建，靠近水源，因而从金蒲迁居于此。匈奴又来犯，阻断了涧水。耿恭在城中挖了深达十五丈的井，可是仍没有水冒出。官吏士兵口渴难耐，竟然榨取马粪汁来解渴。（见此景）耿恭便仰天长叹道：从前贰师将军拔刀刺山，飞泉就源源不断地涌出；如今大汉国运神灵，难道会无路可走吗？他整理好衣物，向井郑重地拜了两拜，为官兵们祈祷。不一会儿，泉水便涌出来了，众人都欢呼庆祝。于是将水扬起来给匈奴人看，匈奴人都认为他是神人，就立刻领兵撤退了。后来车师叛国，与匈奴人一起围攻耿恭，城里的粮食都已吃尽，处境潦倒不堪，甚至连铠甲和弓弩都煮了，食用其中的牛筋牛皮以求饱腹。耿恭誓与将士们同生死，绝无二心。敌人围困耿恭却始终攻不进城，关宠向朝廷上书求救。建初元年，汉章帝接受了司徒鲍昱的纳谏，调遣兵力前去救援。到了柳中，派遣校尉关宠分兵进入高昌壁，攻打交河城，降服了车师；于是又派遣耿恭的军吏范羌，率领两千士兵去迎接耿恭。恰逢大雪，积雪深达丈余，勉强才行进至疏勒城。夜晚城中听闻兵马声，惊恐不已，范羌远远地叫道：我是范羌啊！城中人欢呼雀跃，打开了城门，相扶哭泣。城中存活下来的还有二十六个人，（只见他们）衣衫褴褛，脸色十分憔悴，大家相互搀扶着回来。

【原文】

河水又东北会两川，右合二水，参差夹岸，连壤负险相望。河北有层山，山甚灵秀。山峰之上，立石数百丈，亭亭桀竖。竞势争高，远望嵾嵾[①]，若攒图之托霄上。其下层岩峭举，壁岸无阶。悬岩之中，多石室焉。室中若有积卷矣，而世士罕有津达者，因谓之积书岩。岩堂之内，每时见神人往还矣，盖鸿衣羽裳之士，练精饵食之夫耳，俗人不悟其仙者，乃谓之神鬼。彼羌目鬼曰唐述，复因名之为唐述山，指其堂密之居，谓之唐述窟。其怀道宗玄之士，皮冠净发之徒，亦往栖托焉。

【注释】

①嵾嵾（cēn cēn）：同"嵾嵾"，长短、高低不齐。

【译文】

河水又向东北流，同右边的两条河流相会。两条河水参差，两岸连绵的土地以险相望。河水北面重峦叠嶂，峰峦灵秀；山峰上有高达数百丈的巨石耸立，气势非凡，似与群山争高，远远望去，高低不齐，就像绘成的图画那般直入云霄。在山下，层岩陡峭，没有台阶的石壁崖岸，悬岩中有很多石洞。这些洞中看上去似有成堆的书卷，因而取名为积书岩，而世间的书生很少有能渡水到达山洞的。在石洞里，人们经常能看见神仙来往的身影，他们都是些穿着精致羽衣，精心修行的高人们，世俗之人不清楚他们仙人的身份，都认为他们是鬼神。羌人把鬼称作唐述，故将山叫作唐述山，把那深居的密室，称为唐述窟。那些修道之人，净发头戴皮帽，也常常到那里去栖身。

## 卷三　河水

【原文】

建武中，曹凤，字仲理，为北地太守。政化尤异，黄龙应于九里谷高冈亭，角长三尺，大十围[1]，梢[2]至十余丈。天子嘉之，赐帛百匹，加秩[3]中二千石。

【注释】

①围：量词，此处应为两臂合拢的长度。②梢：本义为事物的末尾或一段时间的尽头，此处指黄龙的尾巴。③秩：古代官吏的俸禄。

【译文】

建武年间，曹凤，字仲理，被任命为北地太守，其施政教化成效显著，故有黄龙在九里谷高冈亭出现，（黄龙）角长三尺，身有十围，尾巴长达十余丈。皇帝（因而）嘉奖他，赏赐他百匹丝绸，增加其俸禄至中二千石。

【原文】

徐广《史记音义》曰：阴山在五原北，即此山也。始皇三十三年，起自临洮，东暨辽海，西并阴山，筑长城及开南越地，昼警夜作，民劳怨苦，故杨泉《物理论》曰：秦始皇使蒙恬筑长城，死者相属。民歌曰：生男慎勿举，生女哺用铺，不见长城下，尸骸相支拄！其冤痛如此矣。蒙恬临死曰：夫起临洮，属辽东，城堑万余里，不能不绝地脉[1]，此固当死也。

【注释】

①地脉：大地的脉络。就风水角度而言，地脉是迷信者用来描述地形好坏的词。

【译文】

徐广《史记音义》记载：阴山在五原北面。说的就是这座山。秦始皇三十三年，始自临洮，东至辽海，西临阴山，兴修长城，又在南越开拓疆土。百姓白天戒守，夜晚开工，疲惫不堪，怨声不断。所以杨泉在《物理论》中写道：秦始皇派蒙恬去修筑长城，尸横遍野。民歌唱道：生儿子就别去抚养了，生女儿就喂养她成长吧，你没看见长城之下，都是尸骨在相互支撑呀！百姓的痛苦及怨恨已经到了这般地步。蒙恬临死时说：从临洮开始直至辽东，修城挖沟达万余里，不可能不斩断大地的脉络，这原本就应当判死罪了啊！

【原文】

白渠水西北，迳成乐城北。《郡国志》曰：成乐，故属定襄也。《魏土地记》曰：云中城东八十里有成乐城。今云中郡治，一名石卢城也。白渠水又西迳魏云中宫南。《魏土地记》曰：云中宫在云中县故城东四十里。白渠水又西南，迳云中故城南，故赵地。《虞氏记》云：赵武侯自五原河曲筑长城，东至阴山；又于河西造大城，一箱崩不就，乃改卜阴山河曲而祷焉。昼见群鹄游于云中，徘徊经日，见大光在其下，武侯曰：此为我乎？乃即于其处筑城，今云中城是也。

【译文】

白渠水往西北流经成乐城以北。《郡国志》记载：成乐，原本属于定襄。《魏土地记》记载：云中城的东面大约八十里处有座成乐城。如今是云中郡的治所，又称作石卢城。白渠水又向西流经魏云中宫南。《魏土地记》写道：云中宫在距离云中县老城东面四十里处。白渠水又向西南流经云中老城的南边，这是旧时赵国之地。《虞氏记》记载：赵武侯从五原河曲始修长城，东边直至阴山。又在河西修建大城，一边崩塌而未能筑成，于是在阴山河曲，另外占卜以求新址，并向上天祈祷。白天看见一群天鹅翱翔在云中，终日盘旋不离去，下面闪现大片亮光。武侯说：天鹅难道是为我而来的吗？于是就在天鹅盘旋的地方筑城，这便是现在的云中城。

【原文】

桐过县，王莽更名椅桐者也。河水于二县之间，济有君子之名。皇魏桓帝十一年，西幸榆中，东行代地。洛阳大贾赍金货随帝后行，夜迷失道，往投津长，曰子封，送之渡河。贾人卒死，津长埋之。其子寻求父丧，发冢举尸，资囊[①]一无所损。其子悉以金与之，津长不受。事闻于帝，帝曰：君子也。即名其津为君子济。

【注释】

①资囊：钱袋，指钱财。

【译文】

桐过县被王莽更名为椅桐。河水在二县中间，有个叫君子济的渡口。皇魏桓帝十一年，皇帝西行至榆中，往东巡视代郡各地。洛阳有个大商人随行，带着大量钱财货物，夜间迷失了道路，在渡口津长子封处投宿，请子封送他过河。不料渡河途中商人暴病而亡，津长将他安葬了。商人的儿子前来寻回父亲的遗体，开棺抬出尸体，发现携带的钱财货物没有任何损失。商人的儿子想要将所有的钱财都赠给津长，津长谢绝了。皇帝听闻此事，说道：这真是一位君子呀！于是就把这个渡口命名为君子济。

【原文】

《东观记》曰：郭伋，字细侯，为并州牧。前在州，素有恩德，老小相携道路，行部到西河美稷，数百小儿，各骑竹马迎拜。伋问：儿曹何自远来？曰：闻使君到，喜，故迎。伋谢而发去。诸儿复送郭外。问：使君何日还？伋计日告之。及还，先期一日。念小儿，即止野亭，须期至乃往。

【译文】

《东观记》记载：郭伋，字细侯，为并州牧。因为他之前在并州任职的时候，素日里对百姓恩德有佳，因此并州老老少少都在路上携手迎接他。他在西河美稷视察时，有数百个小孩骑着竹马来迎接和拜见他。郭伋问道："你们为何大老远跑来到这里？"孩子们说："我们听说您来了，很是高兴，所以特地前来迎接您。"郭伋向孩子们道谢后，便打发他们回家去了，孩子们接着又送他到城外，问道："您何日归来呀？"郭伋估算了一下时间，便将归期告诉了他们。不料回来的日期却早了一天，想到了和孩子们约定，他就留宿在野亭里，等到约定的时日才前行。

【原文】

东北流，迳其县故城南，王莽之奢节[①]也。赫连龙升七年，于是水之北，黑水之南，遣将作大匠梁公叱干阿利改筑大城，名曰统万城。蒸土加功，雉堞[②]虽久，崇墉若新。并造五兵，器锐精利，乃咸百炼。为龙雀大镮，号曰大夏龙雀。铭其背曰：古之利器，吴、楚湛卢。大夏龙雀，名冠神都，可以怀远，可以柔逋。如风靡草，威服九区。世甚珍之。又铸铜为大鼓，及飞廉[3]、翁仲[4]、铜驼[5]、龙虎，皆以黄金饰之，列于宫殿之前。则今夏州治也。

【注释】

①奢节：过度的改革体制。②雉堞（zhì dié）：泛指城墙。③飞廉：中国古代神话中的神兽，据说其为鸟身鹿尾或鸟头鹿身。④翁仲：原指匈奴的祭天神像，约秦汉时期被汉人引入关内，作为宫殿的装饰，墓葬和祭祀的重要物件。⑤铜驼：铜铸的骆驼，古代置于宫门外。

【译文】

水向东北流经旧县城的南面。这是王莽的奢节。赫连勃勃龙升七年，派遣将作大匠梁公叱干阿利在此水的北面、黑水的南面修筑大城，取名为统万城。城用蒸过的泥土来精修，坚固无比，虽然年代久远，但是高城雉堞依然如新。又经过千锤百炼，铸造了诸多精良的兵器。又铸一把宝刀，刀上有雕着龙雀的大环，称作大夏龙雀。刀背上刻着铭文：古代最为锋利的兵器，吴、楚宝剑号为湛卢。现如今有大夏龙雀，扬名京都，能够让远方诸国归顺，给予逃亡者安抚。如风吹草伏般威慑天下。世人都对这把宝刀十分珍视。又以铜铸大鼓，而飞廉、铜人、铜驼、龙虎等，都用黄金来装饰它们，将其排列在宫殿前。这座统万城现在是夏州的治所。

【原文】

清水又东，迳高奴县，合丰林水，《地理志》谓之洧水也。故言：高奴县有洧水，肥可爇[1]。水上有肥，可接取用之。《博物志》称酒泉延寿县南山出泉水，大如筥[2]，注地为沟，水有肥如肉汁，取著器中，始黄后黑，如凝膏，然极明，与膏无异。膏车及水碓缸甚佳，彼方人谓之石漆。水肥亦所在有之，非止高奴县洧水也。

【注释】

①爇（rán）：通“燃”。②筥（jǔ）：一种盛物器具。

【译文】

清水又向东流经高奴县，与丰林水汇合。《地理志》称其为洧水。所以说：高奴县有洧水，有油且能燃烧。水上有油，可以采来使用。《博物志》称酒泉延寿县南山有泉水，如筥那般大小，将地面冲出一条水沟来。水上有稠如肉汁的油，舀入容器里，最初呈黄色，然后变成黑色，宛如凝固的油脂，点燃后非常明亮，和油脂没有什么不同。用这种油脂来涂车和水碓上的铁圈是最佳的选择，当地人称作石漆。水上的浮油哪里都有，不单单是高奴县洧水这一处有。

# 卷四　河水

【原文】

河水又南迳梁山原东。原自山东南出至河，晋之望也。在冯翊夏阳县之西北，临于河上。山崩壅[①]河，三日不流。晋侯以问伯宗，即是处也。《春秋穀梁传》曰：成公五年，梁山崩，遏河水三日不流。召伯尊。遇辇者不避，使车右[②]鞭之。辇者曰：所以鞭我者，其取道远矣。伯尊因问之。辇者曰：君亲缟素，率群臣哭之，斯流矣。如其言而河流。

【注释】

①壅（yōng）：堵塞，阻塞。②车右：通常而言，古人乘车尚左，尊者在左，御者在中，另有一人在右陪乘。陪乘之人称为骖乘，也称车右。

【译文】

河水又向南流经梁山原东面，高地从山的东南面绵延至河边，晋国于此祭祀山川，在冯翊夏阳县的西北面，靠近河流的地方。梁山崩塌导致河水三日不流通。晋侯因此事去请教伯宗，就是此处。《春秋穀梁传》记载：成公五年，梁山崩塌，河水堵塞，三日不流通。成公召见伯尊，伯尊在途中遇见一个拉车人不避让他，就让车夫去鞭打他。拉车人说：您着急赶路所以让人鞭打我，但您选择的是一条远路啊。

伯尊为此询问他，拉车人说：君主身着素白的衣服，带领群臣痛哭，水自然会流通的。按其言而行，河水果然流通了。

【原文】

又南过蒲坂县西，《地理志》曰：县，故蒲也。王莽更名蒲城。应劭曰：秦始皇东巡，见有长坂，故加坂也。孟康曰：晋文公以赂秦，秦人还蒲于魏，魏人喜曰：蒲反矣！故曰蒲反也。薛瓒注《汉书》曰：《秦世家》以垣为蒲反，然则本非蒲也。皇甫谧曰：舜所都也。或言蒲坂，或言平阳及潘者也。今城中有舜庙。

【译文】

又向南流过蒲坂县的西面，《地理志》写道：蒲坂县就是过去的蒲，王莽更名为蒲城。应劭说：秦始皇巡察东方之时，望见长长的山坡，因而以蒲坂为名。孟康说：晋文公用蒲来贿赂秦国，之后秦国又将其归还给了魏国，魏人十分欢喜，说：蒲又被返送回来了，故名为蒲反。薛瓒注《汉书》记载：《秦世家》认为垣属于蒲反，但那原本并不属于蒲。皇甫谧说：舜在这个地方建都。有些人说舜建都在蒲坂，也有些人认为舜建都在平阳，后来才迁到潘。现在城中的舜庙仍然还在。

【原文】

魏秦州刺史治。太和迁都，罢州，置河东郡。郡多流杂，谓之徙民。民有姓刘名堕者，宿擅工酿，采挹[1]河流，酝成芳酎[2]，悬食同枯枝之年，排于桑落之辰，故酒得其名矣。然香醑[3]之色，清白若滫浆焉。别调氛氲，不与佗同。兰薰麝越，自成馨逸。方土之贡选，最佳酌矣。自王公庶友，牵拂相招者，每云：索郎有顾，思同旅语。索郎，反语为桑落也。更为籍征之隽句，中书之英谈。

【注释】

①采挹（yì）：选择汲取。②酎（zhòu）：一种经过两次酿造的醇酒。③醑（xǔ）：美酒。

【译文】

（蒲坂）归属魏秦州刺史管理，太和年间迁都，撤了秦州，设立了河东郡。郡里有很多流民杂户，被称为移民。移民中有个姓刘名堕的，素来擅长酿酒，舀河水，酿制成清冽的美酒，存放到秋冬之季，桑叶凋落时方才打开酿造，所以这酒因此得名桑落酒。此美酒色泽清白如米泔水，芳香无比，别有一番风味，与其他的酒有所不同，既似幽兰发出的芳馨，又似麝香飘散，自成一种高雅飘逸的芬芳，可谓是进贡的最佳之选。上自王公贵族，下至黎民百姓，友人间牵挽提携相互邀请时，常常说：索郎很是眷念，想邀大家一块儿开怀痛饮！“索郎”二字是“桑落”的交互反切，这更成为著写书籍时引用的妙句、文人学士们的美谈。

【原文】

又南至华阴潼关，渭水从西来注之。汲郡《竹书纪年》曰：晋惠公十五年，秦穆公帅师送公子重耳，涉自河曲。《春秋左氏》：僖公二十四年，秦伯纳之。及河，子犯以璧授公子曰：臣负羁绁[①]，从君巡于天下，臣之罪多矣。臣犹知之，而况君乎？请由此亡。公子曰：所不与舅氏同心者，有如白水。投璧于此。子推笑曰：天开公子，子犯以为功，吾不忍与同位，遂逃焉。

【注释】

①羁绁：亦作“羁缉”，指驭马。羁，马络头；绁，马缰绳。

【译文】

又往南流向华阴潼关，渭水从西边流来汇入。汲郡《竹书纪年》写道：晋惠公十五年，秦穆公率领军队护送公子重耳，从河曲涉水渡河。《春秋左氏传》：僖公二十四年，秦伯接纳了他。来到了河边，子犯将玉璧交给了公子，说道：我鞍前马后地跟随您巡察天下，犯下的罪状有多少，自己都知道，何况是您（犯下的错误）呢？请您让我离开这里吧。公子说：倘若我不与舅父同心同德，请河神明鉴！言毕就将璧投入河中。子推笑道：是老天爷对公子开恩，可子犯却自认为有功劳，我不愿与之共事。于是就离开了。

【原文】

左丘明《国语》云：华岳本一山当河，河水过而曲行，河神巨灵，手荡脚蹋，开而为两，今掌足之迹，仍存华岩。《开山图》曰：有巨灵胡者，遍得坤元之道，能造山川，出江河，所谓巨灵赑屃①，首冠灵山者也。常有好事之士，故升华岳而观厥迹焉。

【注释】

①赑屃（bì xì）：相传是龙子之一。

【译文】

左丘明《国语》记载：华岳原本是一座大山，阻挡了黄河水，河水流经此处只能绕道而流。河神巨灵，用手推，用脚踢，将华岳分成了两半，华岳的山岩上至今还留着他的手印和足迹。《开山图》记载：有个巨灵名胡，独有创造万物的本领，能创造山川，开出江、河，所说的巨灵赑屃，就是灵山顶上昂首的那位。常有好事之人，特意攀崖援壁去观赏这些遗迹。

【原文】

《魏土地记》曰：弘农湖县有轩辕黄帝登仙处。黄帝采首山之铜，铸鼎于荆山之下，有龙垂胡于鼎。黄帝登龙，从登者七十人，遂升于天。故名其地为鼎胡。荆山在冯翊，首山在蒲坂，与湖县相连。《晋书·地道记》《太康记》并言胡县也。汉武帝改作湖。俗云黄帝自此乘龙上天也。《地理志》曰：京兆湖县有周天子祠二所，故曰胡。不言黄帝升龙也。

【译文】

《魏土地记》说：轩辕黄帝升天成仙的地方在弘农湖县。黄帝在首山开采铜矿，在荆山之下铸鼎，有一条龙将长须垂落在鼎上，黄帝登上龙背，跟着他爬上去的七十人，全部都升天了。所以这地方得名为鼎胡。荆山在冯翊，首山在蒲坂，与湖县相接。《晋书·地道记》《太康记》都说是胡县。汉武帝将“胡”字更为“湖”字。民间传言黄帝是从这里乘龙升天的。《地理志》说：京兆湖县有周天子的两座祠堂，所以称胡，却未提及黄帝乘龙飞天的故事。

【原文】

《春秋榖梁传》曰：晋献公将伐虢。荀息曰：君何不以屈产[1]之乘，垂棘[2]之璧，假道于虞？公曰：此晋国之宝也。曰：是取中府置外府也。公从之。及取虢灭虞，乃牵马操璧，璧则犹故，马齿长矣。即宫之奇所谓虞、虢其犹辅车相依，唇亡则齿寒，虢亡，虞亦亡矣。

【注释】

①屈产：春秋时期，晋国的一个地名，产良马。②垂棘：春秋时期，晋国的一个地名，以出美玉而闻名。

【译文】

《春秋榖梁传》记载：晋献公准备攻伐虢国。荀息说：您为什么不用屈产之马、垂棘之璧同虞国借路呢？献公说：你说的这些都是晋国的宝贝啊！荀息说：这只不过是从我们的中央府库拿出来暂放虞国的府库罢了。献公听从了他的建议。在吞并了虢国，灭了虞国之后，便牵着马、捧着璧回来了。璧依然如初，可是马的牙齿却长长了。正如宫之奇所说的那样，虞、虢两国互相依靠，唇亡则齿必寒，一旦虢国被吞并，那么虞国也必将灭亡。

【原文】

《搜神记》称：齐景公渡于江沈之河，鼋[1]衔左骖[2]，没之，众皆惕。古冶子于是拔剑从之，邪行五里，逆行三里，至于砥柱之下，乃鼋也。左手持鼋头，右手挟左骖，燕跃鹄踊而出，仰天大呼，水为逆流三百步，观者皆以为河伯也。

【注释】

①鼋（yuán）：大鳖。②左骖（cān）：古代驾车时，三马或是四马中左边的马。

【译文】

《搜神记》说，齐景公在渡江沈河时，突然有巨鼋咬住了左边拉车的马匹，没入水中，众人惊慌失措。古冶子拔剑入水追寻它的踪迹，斜行五里，又逆行三里，来到了砥柱之下，发现原来是一只巨鼋。

他斩杀巨鼋，左手提起鼋头，右手扶着马，身轻如燕鹄，矫捷一跃，仰天高喊，使得河水倒流了三百步，在一旁观看的人都认为他是河伯。

## 卷五　河水

【原文】

又东过平县北，湛水从北来注之。河水又东，迳河阳县故城南。《春秋经》书天王狩于河阳。壬申[①]，公朝于王所。晋侯执卫侯，归于京师。《春秋左传》：僖公二十八年冬，会于温，执卫侯。是会也，晋侯召襄王以诸侯见，且使王狩。仲尼曰：以臣召君，不可以训。故书曰天王狩于河阳，言非其狩地。

【注释】

①壬申：壬申为干支之一，顺序为第九个。

【译文】

又向东流经平县的北面，湛水从北面而来注入其中。河水又向东流过河阳县旧城的南面。《春秋经》记载，周天子在河阳狩猎，壬申之日，僖公到周王的殿宇去朝见。晋侯逮捕卫侯，并将其带回京师。《春秋左传》写道：僖公二十八年的冬天，在温会盟，逮捕了卫侯。在这次会盟中，晋侯召请周襄王，邀约诸侯前去会见他，并且让周襄王前往狩猎。仲尼说：为人臣却召请自己的君主，这是不能够效仿的事情。所以写道：天子在河阳狩猎，是在说这里不应当是周王狩猎之地。

【原文】

河南有钩陈垒。世传武王伐纣，八百诸侯所会处，《尚书》所谓不期同时也。紫微有钩陈之宿，主斗讼兵阵，故遁甲攻取之法，以所攻神与钩陈并气，下制所临之辰，则决禽敌，是以垒资其名矣。河水于斯，有盟津之目。

【译文】

河的南岸有钩陈垒，世有传言称这里是武王伐纣时八百诸侯会盟的地方，《尚书》记载道：武王与诸侯没有事先约定，却在同一时间到达此处。紫微星座中有钩陈星，主要管理斗争诉讼和排兵布阵等事宜，所以奇门遁甲攻取的方法，是凭借所攻的神和钩陈星两气相并，在下界控制着攻战的时机，必定能够战胜敌人，营垒也由此而得名。河水流到这里，有个地方名为盟津。

【原文】

《论衡》曰：武王伐纣，升舟，阳侯[①]波起，疾风逆流，武王操黄钺而麾[②]之，风波毕除。中流，白鱼入于舟，燔[③]以告天，与八百诸侯，咸同此盟，《尚书》所谓不谋同辞也。故曰孟津，亦曰盟津。《尚书》所谓东至于孟津者也。又曰富平津。

【注释】

①阳侯：古代传说中的波涛之神，此处借指波涛。②麾（huī）：指挥。③燔（fán）：烤制。

【译文】

《论衡》写道：武王在伐纣时，登上船。水神使水上波涛涌起，狂风呼号，河水倒流。武王挥舞手中的黄钺指挥，风波便停止了。船行至中流，有白鱼跃入船舱。武王烤了白鱼祭天，同八百诸侯一起祷告，成为同盟，这也就是《尚书》所说的没有提前商讨而异口同声。所以这个地方被取名为孟津，也称为盟津。《尚书》所说的东至孟津，指的就是这个地方。孟津又叫作富平津。

【原文】

《晋阳秋》曰：杜预造河桥于富平津，所谓造舟为梁[①]也。又谓之为陶河，魏尚书仆射杜畿以帝将幸许，试楼船，覆于陶河，谓此也。昔禹治洪水，观于河，见白面长人鱼身，出曰：吾河精也。授禹《河图》而还于渊。及子朝篡位，与敬王战，乃取周之宝玉，沈河以祈福。后二日，津人得之于河上，将卖之，则变而为石。及敬王位定，得玉者献之，复为玉也。

【注释】

①梁：桥。

【译文】

《晋阳秋》写道：杜预在富平津修建河桥，也就是造船来当作浮桥。这条河又叫作陶河。魏尚书仆射杜畿，由于文帝将要视察许昌，于是开楼船试航，沉没在陶河中，这里说的陶河指的就是这条河。昔日大禹治水，前来查探大河，看见从水中出现一个白面鱼身的巨人，言：我是河中的神灵。然后将《河图》交给了大禹，然后又回到水中去了。子朝篡位之时，与敬王交战，将周的宝玉沉入水中以祈福。两天后，有船夫拾到了宝玉，想将其卖掉，不想这宝玉却变成了石头。等到敬王稳居王位之后，拾玉的船夫将其献给敬王，这宝物又从石头变回了宝玉。

【原文】

汉明帝永平十二年，议治汳渠，上乃引乐浪人王景，问水形便，景陈利害，应对敏捷，帝甚善之。乃赐《山海经》《河渠书》《禹贡图》及以钱帛。后作堤，发卒数十万，诏景与将作谒者王吴治渠。筑堤防修堨，起自荥阳，东至千乘海口，千有余里。景乃商度地势，凿山开涧，防遏冲要疏决壅积，十里一水门，更相回注，无复渗漏之患。明年渠成，帝亲巡行，诏滨河郡国置河堤员吏，如西京旧制。景由是显名，王吴及诸从事者，皆增秩一等。

【译文】

汉明帝永平十二年，为商议治理汳渠的事情，明帝向乐浪人王景询问因地制宜的治水之道。王景陈述了利害关系，应答如流，明帝十分赏识他，于是赐给他《山海经》《河渠书》《禹贡图》及钱帛。后来发动了几十万人修筑堤坝，下令让王景与将作谒者王吴一同来治理渠道。筑堤修坝，自荥阳始修，东到千乘海口，有一千多里。王景斟酌地势，凿山开涧，在交通要道处修筑堤坝和土堰，疏通淤泥堵塞的地方，十里设一水门，使得河水交互回流，以调节水量，才不再有渗漏的祸患。次年渠成，明帝亲自巡察，下令沿河王侯属国及郡县，像西京旧制那样设管理河堤的官吏。王景因此扬名天下，王吴以及许多下属的俸禄都提升了一等。

【原文】

河水又东，右迳滑台城北。城有三重，中小城谓之滑台城。旧传滑台人自修筑此城，因以名焉。城即故郑廪延邑[①]也。下有延津。《春秋传》曰：孔悝为蒯聩所逐，载伯姬于平阳，行于延津是也。廪延南故城，即卫之平阳亭也。今时人谓此津为延寿津。宋元嘉中，右将军到彦之，留建威将军朱修之守此城。魏军南伐，修之执节不下。其母悲忧，一旦乳汁惊出，母乃号踊[②]，告家人曰：我年老，非有乳时，今忽如此，吾儿必没矣。修之绝援，果以其日陷没。

【注释】

①廪延邑：春秋时期，郑国的地名。②号踊：号哭顿足。

【译文】

河水又往东流，右边流经滑台城的北面。城有三重，中间的小城名为滑台城，过去相传是滑台人修筑了这座城，所以城由此而得名。滑台城也是昔日郑国的廪延邑，下流是延津城。《春秋传》记载：孔悝被蒯聩驱逐，在平阳用车载了伯姬，向着延津城去了。廪延以南的旧城就是卫国的平阳亭，如今的人们都把这个渡口叫作延寿津。宋元嘉年间，右将军到彦之，让建威将军朱修之留在城里驻守。魏军南征，朱修之守节不降，为此他的母亲十分担忧。一日他的母亲忽然感到不安，胸口流出乳汁，她捶胸顿足，号啕大哭，对家里人说：我年迈如斯，在这样的年纪是不可能流出乳汁的，现在我的胸口流出乳汁，那么说明我的儿子一定是战死了啊！朱修之因为没有援军的救援，那日果真身陷战火而亡了。

【原文】

粤在汉世，河决金堤，涿郡王尊自徐州刺史迁东郡太守，河水盛溢，泛浸瓠子，金堤决坏，尊躬率民吏，投沉白马，祈水神河伯，亲执圭璧，请身填堤，庐居其上。民吏皆走，尊立不动而水波齐足而止，公私壮其勇节。

【译文】

汉朝时期，黄河在金堤决口。涿郡人王尊，从徐州刺史调任东郡任职太守，河水暴涨，泛滥至瓠子，金堤被冲垮，王尊亲自带领百姓和小吏，把白马沉入河中，向水神河伯祈祷，然后亲自捧着玉圭、玉璧，想要用自己的身体来填堤。他在河边搭建草棚居住，百姓和小吏都逃离了，唯有王尊屹立不动，河水漫到他的脚上就停止了。朝野之人和百姓都十分佩服他的勇气。

## 卷六　汾水、涑水、晋水

【原文】

刘渊族子曜，尝隐避于管涔之山，夜中，忽有二童子入，跪曰：管涔王使小臣奉谒赵皇帝，献剑一口。置前，再拜而去。以烛视之，剑长二尺，光泽非常，背有铭曰：神剑御，除众毒。曜遂服之，剑随时变为五色也。后曜遂为胡王矣。

【译文】

刘渊的同宗侄儿刘曜曾经在管涔山上隐避。半夜忽然有两个孩子闯进来，跪着说：是管涔王派我们两个前来拜见赵皇帝您的。言毕献上了一把宝剑，将剑放在刘曜的面前，拜了拜后便离去了。刘曜持着蜡烛端详此剑，剑长两尺，十分光亮，剑背刻有铭文：佩此神剑，能够消除各种危难。于是刘曜便佩上此剑，宝剑随时随地都能变幻出五色的光芒，之后，刘曜果然就成了胡王了。

【原文】

昔赵武灵王游大陵，梦处女鼓琴而歌，想见其人，吴广进孟姚焉，即于此县也。

【译文】

过去赵武灵王在大陵县游玩之时，梦见一位姑娘在弹琴歌唱。他非常想见到梦中的姑娘，于是吴广就挑选了孟姚进献给他，（孟姚）就是大陵县的人。

【原文】

又西迳京陵县故城北，王莽更名曰致城矣。于春秋为九原之地也。故《国语》曰：赵文子与叔向游于九原，曰：死者若可作[1]也，吾谁与归[2]？叔向曰：其阳子乎？文子曰：夫阳子行并植于晋国，不免其身，智不足称。叔向曰：其舅犯乎？文子曰：夫舅犯见利不顾其君，仁不足称。吾其随曾乎？纳谏不忘其师，言身不失其友，事君不援而进，不阿而退。

【注释】

①可作：复生，再生。②归：归依。

【译文】

（太谷）水又向西流经京陵县旧城以北，王莽更名为“致城”。春秋时这里原本属于九原。所以《国语》说：赵文子和叔向一同游览九原，赵文子对叔向说：倘若死人能够复生，你觉得我该归依谁呢？叔向说：我想应该同阳子吧？文子说：阳子在晋国正直廉洁，但最后还是不能够躲避杀身之祸，他的智慧不足以为人称道。叔向说：那归依舅犯怎么样？文子说：舅犯见利忘义，未顾及自己的君主，他的仁德同样不值得称赞。我看还是归依曾比较好。曾在纳谏之时还能记得自己的老师，谈及自身时能不伤害自己的朋友，侍奉君主不靠别人进身，也不趋炎附势而引退。

【原文】

汾水又南，与石桐水合，即绵水也。水出界休县之绵山，北流迳石桐寺西，即介子推之祠也。昔子推逃晋文公之赏，而隐于绵上之山也。晋文公求之不得，乃封绵为介子推田[1]，曰：以志吾过，且旌[2]善人。因名斯山为介山。故袁山松《郡国志》曰：界休县有介山、绵上聚、子推庙。

【注释】

①“昔子推”四句：这里是关于介子推的一个典故。晋文公烧山逼介子推出山，不料，子推却葬身火海。②旌（jīng）：表扬夸奖。

【译文】

汾水又向南流，与石桐水交汇，这便是绵水。绵水的源头在界休县的绵山，向北流经石桐寺的西面，石桐寺就是介子推祠。过去介子推婉拒晋文公的赏赐而出逃，最后在绵山之上隐居。晋文公想要任用介子推却得不到他，于是就把绵山追封为介子推的领地，说道：用这地方来纪念我的过失，同时也用来表扬好人吧。因而将这座山取名为介山。所以袁山松《郡国志》说：界休县有一座介山，山上有绵上聚和子推庙。

【原文】

王肃《丧服要记》曰：昔鲁哀公祖载其父。孔子问曰：宁设桂树乎？哀公曰：不也。桂树者，起于介子推。子推，晋之人也。文公有内难，出国之狄，子推随其行，割肉以续军粮。后文公复国，忽忘子推。子推奉唱而歌，文公始悟，当受爵禄。子推奔介山，抱木而烧死。国人葬之，恐其神魂賈[1]于地，故作桂树焉。吾父生于宫殿，死于枕席，何用桂树为？

【注释】

①賈（yǔn）：古通“陨”，降，落下。

【译文】

王肃《丧服要记》说：昔日鲁哀公的祖父以车载其父亲的遗体。孔子问道：您要为您的父亲立一棵桂树吗？哀公说：不用了。立桂树这件事是从介子推开始的。介子推是晋国人。文公国内有难，逃到狄去避难，介子推跟随文公出逃，军粮吃尽，介子推就把自己的肉割给文公吃。文公重建自己的国家之后，却忘记了介子推的忠心。于是介子推高歌一曲，文公方才醒悟，想要赏赐给介子推爵位和俸禄。但是介子推却逃到介山去了，怀抱树木被火烧死。晋国人安葬了介子推，担心他的魂魄会陨落消失，所以在原地种了一棵桂树。我父亲在宫殿里生活，如今死在床上，哪里需要桂树呢？

【原文】

汾水又南，与彘水合。水出东北太岳山，《禹贡》所谓岳阳也，即霍太山矣。上有飞廉墓[①]。飞廉以善走事纣，恶来[②]多力见知。周武王伐纣，兼杀恶来。飞廉先为纣使北方，还无所报，乃坛于霍太山而致命焉。得石棺，铭曰：帝令处父，不与殷乱，赐汝石棺以葬。死，遂以葬焉。霍太山有岳庙，庙甚灵，鸟雀不栖其林，猛虎常守其庭。又有灵泉以供祭祀，鼓动则泉流，声绝则水竭。湘东阴山县有侯昙山，上有灵坛，坛前有石井深数尺，居常无水，及临祈祷，则甘泉涌出，周用则已，亦其比也。

【注释】

①飞廉墓：飞廉之墓。这里的飞廉是指商纣的谀臣，春秋时期秦国君主的祖先，并非神话传说中的神兽。②恶来：也作"恶来革"，为商纣王的亲信，飞廉之子，以"勇力"而闻名。

【译文】

汾水往南流，与彘水交汇。彘水的源头在东北的太岳山上，这就是《禹贡》所记载的岳阳，岳阳就是霍太山。山上有飞廉墓。飞廉凭借着善走的本领而效力于纣王，恶来因力大而闻名。周武王伐纣时，把恶来也一并杀了。飞廉先前为纣王征战北方，归来后却没有可以向纣王报告的战绩，于是就设坛在霍太山上祭祀，决定以身殉国。他在山上发现了一具石棺，石棺上刻着铭文：天帝有令——让你不要卷入殷朝之乱，在此赐你安葬的石棺。飞廉死后，就埋葬在了霍太山。霍太山上有岳庙，这座庙非常灵验，庙旁的树林，没有鸟雀来栖息，猛虎常在庭院中守卫，还有灵泉可供人们祭祀时使用，鼓声轰动，泉水流出，鼓声停止，泉水也就此干涸。湘东阴山县的侯昙山，此山有灵坛，坛前有石井，深数尺，平日里没有水流，但到祈祷之时，泉水就会涌出，等到大家都用完之后，泉水就停止不流了，这也是同一类。

【原文】

县南对绛山，面背二水。《古文琐语》曰：晋平公与齐景公乘，至于浍上，见乘白骖八驷以来，有大狸身而狐尾，随平公之车。公问师旷，对首阳之神有大狸身狐尾，其名曰者，饮酒得福。则徼[1]之，盖于是水之上也。

【注释】

①徼（jiǎo）：求。

【译文】

县南与绛山遥遥相望，前后是两条河流。《古文琐语》写道：晋平公与齐景公乘车来到浍上，瞧见有人驾着八匹白马前来，后面有一只动物，身形似狸，尾巴如狐那般，紧跟着平公的车。平公问师旷，师旷说：首阳山有神明，有着狸的身体，狐的尾巴，名叫作"者"。饮酒得福，就会召唤它。当时他就是在这条河边遇见它的。

【原文】

时有石言于魏榆，晋侯以问师旷，旷曰：石不能言，或凭焉。臣闻之，作事不时，怨讟[1]动于民，则有非言之物言也。今宫室崇侈民力凋尽，石言不亦宜乎？叔向以为子野之言，君子矣。

【注释】

①怨讟：亦作"怨黩"，怨恨诽谤。

【译文】

当时魏榆有一块能说话的石头。晋侯问师旷，师旷说：石头是完全不可能会说话的，一旦说话了，很有可能是有什么东西想靠石头来发声。我听说做事不合时宜时，民怨载道，那么原本不能发出声音的东西也就能说话了。如今宫中的房子建造得如此宏大奢华，耗尽了民间的财力，石头开口说话，难道不是很自然的事情吗？叔向认为子野的话非常有道理。

【原文】

晋智伯瑶攻赵襄子，襄子奔保晋阳。原过后至，遇三人于此泽，自带[1]以下不见，持竹二节与原过，曰：为我遗无恤。原过受之于是泽，所谓王泽也。

【注释】

①带：本义为大带，束衣的腰带。

【译文】

晋国智伯瑶攻打赵襄子，襄子逃到晋阳守城防备。原过随后赶到，他在路过泽地时遇见了三个人，看不见他们腰带以下的身体。他们手持两节竹筒，将其交给原过，对他说道：请替我们将这竹筒交给无恤吧。当时原过就是在这里接过竹筒，这里就是人们所说的王泽。

【原文】

涑水自城西注，水流急浚，轻津无缓，故诗人以为激扬之水，言不能流移束薪耳。水侧，即狐突遇申生处也。《春秋传》曰：秋，狐突适下国①，遇太子，太子使登②仆，曰：夷吾无礼，吾请帝以畀③秦。对曰：神不歆④非类，君其图之。君曰：诺。请七日见我于新城西偏。及期而往，见于此处。故《传》曰：鬼神所凭，有时而信矣。

【注释】

①下国：此处指诸侯国。②登：上车。③畀（bì）：给予。④歆：通“飨”，祭祀时神灵享受祭品。

【译文】

涑水从城边向西流，水流湍急，水流通畅无阻，所以诗人称此水为激扬之水，意思是说它连一捆柴都冲刷不走。河边就是狐突遇见申生鬼魂之处。《春秋传》说：秋天，狐突来到了下国，在这里遇见太子，太子让他驾车，他向前扑倒在地，对太子说：夷吾失礼，我已上奏国君将晋交给秦国了。狐突回答道：异类祭祀的东西，鬼神是不能享受的，请您另想办法吧。太子说：好，那就请你在七天之后到新城西面与我碰面。狐突如约前往新城，然后就在这里遇见了他。所以《左传》写道：有求于鬼神的时候，鬼神有时候还是会听从的。

【原文】

晋水出晋阳县西悬瓮山。县，故唐国也。《春秋左传》称，唐叔未生，其母邑姜梦帝谓己曰：余名而子曰虞，将与之唐，属之参。及生，名之曰虞。

【译文】

晋水的源头在晋阳县西边的悬瓮山上，晋阳县是过去的唐国。《春秋左传》记载：唐叔还未出生之时，他的母亲邑姜梦见天帝对其说道：我给你的儿子取名为虞，并把唐交给他治理，唐属于参的分野。等到唐叔降生之后，就为他取名虞。

## 卷七　济水

【原文】

济水故渎，东南合奉沟水。水上承朱沟于野王城西，东南迳阳乡城北，又东南迳李城西。秦攻赵，邯郸且降，传舍[①]吏子李同说平原君胜，分家财飨士，得敢死者三千人。李同与赴秦军，秦军退，同死，封其父为李侯。故徐广曰：河内平皋县有李城，即此城也。

【注释】

①传舍：泛指古时供人休息的住宿处所，此处借指旅店、饭馆。

【译文】

济水原来的水道流向东南方向，与奉沟水汇合。在野王城的西面，奉沟水的上流承接着朱沟水，向东南方向流经阳乡城的北面，又向着东南方向流经李城的西面。秦国攻打赵国，邯郸想要投降，有传舍吏的儿子李同说服平原君赵胜，让其将家产拿出来，用来奖赏士兵，由此征募到三千敢死队员，李同与士兵们共同迎战秦军，成功击退秦军。李同战死沙场，他的父亲被封为李侯。所以徐广说：河内郡平皋县的李城，说的就是这座城。

【原文】

济水又东，迳东广武城北，楚项羽城[①]之。汉破曹咎，羽还广武，为高坛，置太公其上，曰：汉不下，吾烹之。高祖不听，将害之。项伯曰：为天下者不顾家，但益怨耳。羽从之。今名其坛曰项羽堆。

【注释】

①城：名词活用成动词，筑城。

【译文】

济水又向东流经东广武城的北边，楚王项羽修建了这座城墙。汉军大破曹咎后，项羽返回了广武，并修建了高坛，将刘邦的父亲放在高坛之上，说道：汉军如若不降，我就将太公放入大锅里煮了！高祖不依其言，因而项羽准备杀掉太公。项伯说：欲征天下之人倘若不顾及家庭，（现在杀了太公，）只会加深百姓的怨恨罢了。项羽听取了劝谏（放了太公）。现在世人称此坛为项羽堆。

【原文】

《风俗通》曰：俗说高祖与项羽战于京、索，遁于薄中，羽追求之。时鸠止鸣其上，追之者以为必无人，遂得脱。及即位，异此鸠，故作鸠杖以扶老。

【译文】

《风俗通》说：相传汉高祖与项羽在京、索对战，逃至薄中。项羽紧紧在后面追赶，搜寻高祖的行踪。当时在高祖藏身之处的顶上有鸠鸣叫不止，追捕之人都肯定鸠鸣之地绝无躲藏者，高祖因而逃过此劫。等到高祖即位以后，回想起那只鸣叫的鸠仍感觉非常奇异，因此特地制作鸠杖送给老人家。

【原文】

索水又东，迳荥阳县故城南。汉王之困荥阳也，纪信曰：臣诈降楚，王宜间出[①]。信乃乘王车出东门，称汉降楚。楚军称万岁，震动天地。王与数十骑出西门得免楚围。羽见信大怒，遂烹之。

【注释】

①间出：乘隙而出。间，偏僻的小路。

【译文】

索水又向东流过荥阳县旧城的南面。汉王被困荥阳，纪信说：我帮助您诈降楚国，大王您乘机逃脱。于是纪信乘坐汉王的车从东门而出，称汉军臣服于楚军。楚军高呼万岁，震动了天地。汉王和数十人马乘机从西门逃出，逃脱了楚人的包围。项羽一看来人是纪信，并非汉王，勃然大怒，下令将纪信煮死。

【原文】

索水又东迳周苛冢北。汉祖之出荥阳也，令御史大夫周苛守之，项羽拔荥阳，获苛曰：吾以公为上将军，封三万户侯，能尽节乎？苛瞋目骂羽，羽怒，烹之。

【译文】

索水又向东流过周苛之墓的北面。汉高祖出荥阳，调遣御史大夫周苛去守护荥阳，不料项羽占领了荥阳，俘虏了周苛，项羽对他说：现在我任命你为上将军，将三万户侯赏封给你，不知道你能否为我尽忠职守？周苛瞪大双眼怒斥项羽，项羽火冒三丈，下令烹煮了周苛。

【原文】

县，故阳武之东黄乡也，故水以名县。沛公起兵，野战，丧皇妣于黄乡。天下平定，乃使使者，以梓宫①招魂幽野。于是，丹蛇自水濯洗，入于梓宫，其浴处有遗发焉。故谥曰昭灵夫人，因作寝以宁神也。

【注释】

①梓宫：以梓木制作的中国古代帝王、皇后专用的棺材。

【译文】

（小黄）县就是过去阳武的东黄乡，县名是以水名而定的。沛公在原野起兵作战时，他的母亲在黄乡过世。沛公平定天下之后，便派遣使者用棺椁在黄乡的荒野之地招魂。恰巧有一条赤练蛇在水里清洗身体，清洗之后进入棺椁里，那条蛇清洗身体的位置留下了一些头发。所以沛公将其谥为昭灵夫人，并在此修建陵墓来安抚她的神灵。

【原文】

济水又东北，迳冤朐县故城南。吕后元年，封楚元王子刘执为侯国。王莽之济平亭也。济水又东，迳秦相魏冉冢南。冉，秦宣太后弟也，代客卿寿烛为相，封于穰，益封于陶，号曰穰侯，富于王室。范雎说秦，秦王悟其擅权，免相，就封，出关，辎车千乘，卒于陶而因葬焉。世谓之安平陵，墓南崩碑尚存。

【译文】

济水又向东北流经冤朐县旧城南面。吕后元年，将此地封给了楚元王的儿子刘执，并立为侯国，也就是王莽时的“济平亭”。济水又向东流经秦国丞相魏冉墓的南边。魏冉是秦宣太后的弟弟，代替客卿寿烛任丞相，在穰受封，在陶被加封，号为穰侯，他的财富远远超过了王室。范雎向秦王纳谏，秦王才惊觉魏冉的权财威胁到了自己，于是就罢免了他的相位，他出关去往自己的封地，用了上千辆车来运行李。魏冉在陶地死去，就葬在此处，世人称其墓为安平陵，至今还留存了墓南的残碑。

【原文】

济水又东北迳定陶恭王陵南，汉哀帝父也。帝即位，母丁太后建平二年崩。上曰：宜起陵于恭皇之园。送葬定陶贵震山东。王莽秉政，贬号丁姬，开其椁户，火出，炎四五丈，吏卒以水沃[①]灭，乃得入，烧燔椁中器物，公卿遣子弟及诸生、四夷十余万人，操持作具，助将作掘，平共王母傅太后坟及丁姬冢，二旬皆平。莽又周棘其处，以为世戒云。时有群燕数千，衔土投于丁姬窜[②]中。今其坟冢，巍然尚秀，隅阿相承，列郭数周，面开重门。南门内，夹道有崩碑二所，世尚谓之丁昭仪墓，又谓之长隧陵。盖所毁者，傅太后陵耳。丁姬坟墓，事与书违，不甚过毁，未必一如史说也。

【注释】

①沃：此处为动词，把水从上往下浇。②窜（cuì）：墓穴。

【译文】

济水又向东北流经定陶恭王陵的南面，恭王是哀帝之父。哀帝即位之后，建平二年，他的母亲丁太后就去世了。哀帝说：最好将陵墓修建在恭王的陵园内。然后就将其葬在了定陶贵震山的东面。王莽执政时期，将太后贬为丁姬，打开她的棺椁的墓门，此时里头忽然冒出四五丈熊熊烈火，士兵赶紧用水和土浇灭大火，才得以进入，进去一看，棺中所有的陪葬品都被烧毁了。公卿派遣子弟及诸生、四夷共十余万人，人人手持工具，辅助匠人们挖平共王母亲傅太后和丁姬的这两座坟墓，整整掘了二十天才将这两座墓掘平。王莽又命人在四周栽满荆棘，以警戒后人。此时有数千燕群飞来，将泥投入丁姬的墓穴之中。她的坟墓至今仍然宏大壮观，四角相互连接着，有数重围墙——正面的几道大门都敞开着，两块残碑立在南门内道路两旁，世人称之为丁昭仪墓，或是长隧陵。原来被破坏的是傅太后的陵墓。而实际上，丁姬的坟墓，并没有遭受过多的破坏，并非如史书所记载的那般破败模样。

## 卷八 济水

【原文】

曹大家《东征赋》曰：到长垣之境界兮，察农野之居民；睹蒲城之丘墟兮，生荆棘之蓁蓁[①]。蘧氏在城之东南兮，民亦向其丘坟。惟令德之不朽兮，身既没而名存。昔吴季札聘上国，至卫，观典府，宾[②]亭[③]父畤[④]，以卫多君子也。

【注释】

①蓁蓁（zhēn zhēn）：同“榛榛”，荆棘丛生的样子。②宾：同“傧”，指以宾客的礼节相待。③亭：村。④畤（zhì）：本义为田界。

【译文】

曹大家《东征赋》写道：在长垣县境内，观察那里的乡民，远眺蒲城的丘冈，荆棘十分茂盛。蘧氏被埋葬在城的东南角，百姓都很向往去拜访他的坟墓，他的品德永世不朽，即使人已逝去但是美名却永存于世。昔日吴季札来访上国，来到了卫国，参观了藏书阁，与父老乡亲们会面，以为卫国人才辈出。

【原文】

濮水又东，迳濮阳县故城南。昔师延为纣作靡靡之乐，武王伐纣，师延东走，自投濮水而死矣。后卫灵公将之晋，而设舍于濮水之上，夜闻新声，召师涓受之于是水也。

【译文】

濮水又向东流，流经濮阳县旧城的南边。过去师延为纣王创作了诸多淫靡的乐曲，武王伐纣之时，师延向东逃去，最终自投濮水而亡。后来卫灵公去晋国，在濮水下榻休息，夜晚听见了新奇的音乐，就召来师涓，然后在这条濮水上学会了这支新奇的乐曲。

【原文】

《皇览》曰：蚩尤冢在东郡寿张县阚乡城中，冢高七尺，常十月祠之，有赤气出，如绛，民名为蚩尤旗。

【译文】

《皇览》记载：蚩尤的墓在东郡寿张县阚乡城中，其墓高有七尺，百姓时常在十月进行祭拜，（在祭祀的时候，）蚩尤墓升起红色的雾气，宛若红绸飘袅，百姓将这团雾气称作“蚩尤旗”。

【原文】

今防门北有光里，齐人言广，音与光同，即《春秋》所谓守之广里者也。又云：巫山在平阴东北，昔齐侯登望晋军，畏众而归。师旷、邢伯闻鸟乌之声，知齐师潜遁。

【译文】

如今防门的北面有个光里，齐语中广字的读音与光字的读音相同，这就是《春秋》中所言在广里防守的地方。《春秋》中又写道：巫山在平阴的东北角，昔日齐侯登上巫山以望晋军，因为畏惧晋军人数多而选择往回跑。师旷、邢伯听到乌鸦啼叫声，由此判断齐军已经逃走了。

【原文】

有沙门[①]竺僧朗，少事佛图澄，硕学渊通，尤明气纬[②]，隐于此谷，因谓之朗公谷。故车频《秦书》云：苻坚时，沙门竺僧朗，尝从隐士张巨和游。巨和常穴居，而朗居琨瑞山，大起殿舍，连楼累阁，虽素饰不同，并以静外致称，即此谷也，水亦谓之琨瑞水也。

【注释】

①沙门：佛教术语，是古印度各教派出家修道者的总称，佛教盛行后专指出家修道的僧侣。②气纬：此处指占卜云气星象之术。

【译文】

有个名为竺僧朗的僧人，年少时曾师从佛图澄，学识渊博，尤其对气和谶纬之学颇有研究。他曾隐居在此山谷中，因而此谷被称为“朗公谷”。所以车频《秦书》中说：苻坚（治国）时，僧人竺僧朗曾与隐士张巨和同游，张巨和常常在山洞中居住，而竺僧朗住在琨瑞山，修建了大规模的殿舍，山间兴修了众多的楼阁。他们两人的生活作风截然不同，一个崇尚朴素，一个注重华饰，但都能够与世隔绝，静心修行，因而被世人所称道。他们一同游览的地方就是这座山谷，这里的水也被称为琨瑞水。

【原文】

《春秋左传》：成公二年，齐顷公与晋郤克战于鞍，齐师败绩，逐之，三周华不注，逢丑父与公易位。将及华泉，骖絓[①]于木而止。丑父使公下，如华泉取饮，齐侯以免。韩厥献丑父，郤子将戮之，呼曰：自今无有代其君任患者，有一于此，将为戮矣。郤子曰：人不难以死免其君，我戮之，不祥，赦之以劝事君者。乃免之。即华水也。

【注释】

①絓（guà）：绊住。

【译文】

《春秋左传》：成公二年，齐顷公同晋国郤克在鞍对战，齐军战败，郤克乘胜追击，围着华不注山绕了三个圈子，此时恰逢丑父与顷公趁他人没看见的时候对调了位置，互换了身份，等到快到华泉的时候，驾车的马被树绊住而停止行进。丑父让顷公下车，去华泉取水来喝，齐侯才逃过此难。韩厥逮住了丑父，将其献给郤克，郤克想要杀了他。丑父高喊道：从今往后，再也不会有人替他的君主受折磨了，这里有一个，马上就要被杀了！郤子说：为了保全君主而选择牺牲自己的人，我若杀了他，会有不好的事情降临，不如放了他，用来勉励那些忠诚之士吧，便放了丑父。这里所提及的华泉，指的就是华水。

【原文】

陇水又西北，至梁邹东南与鱼子沟水合。水南出长白山东柳泉口。山，即陈仲子夫妻之所隐也。《孟子》曰：仲子，齐国之世家，兄戴，禄万钟，仲子非而不食，避兄离母，家于於陵，即此处也。

【译文】

陇水又向西北方向流去，流到了梁邹县的东南面，和鱼子沟水汇合。鱼子沟水的源头在南边长白山东麓的柳泉口。这座山就是陈仲子夫妻隐居的地方。《孟子》写道：陈仲子生在齐国的一个官宦之家，他的兄长叫戴，有万钟的俸禄，陈仲子认为兄长的俸禄来得不正当，所以不肯食用兄长的饭菜，然后选择离开了母亲和兄长，安家在了於陵，也就是这个地方。

【原文】

刘成国《徐州地理志》云：徐偃王之异，言徐君宫人娠而生卵，以为不祥，弃之于水滨。孤独母有犬，名曰鹄仓，猎于水侧，得弃卵，衔以来归。孤独母以为异，覆暖之，遂成儿。生时偃[①]，故以为名。徐君宫中闻之，乃更录取。长而仁智，袭君徐国。后鹄仓临死，生角而九尾，实黄龙也。偃王葬之徐中，今见有狗垄焉。

【注释】

①偃：仰面倒下。

【译文】

刘成国《徐州地理志》提及了发生在徐偃王身上的奇事，说徐君的宫人怀孕并产下了一个蛋，大家都认为这是不吉之事，就将蛋丢弃在水边。孤独母养了条狗，取名为“鹄仓”，为寻找猎物而来到水边。看见了那个被遗弃的蛋，就衔回家去了。孤独母认为这蛋很是罕见，就用被子包裹住蛋，为其取暖，然后蛋里面孵出了一个婴儿，出生的时候是仰卧着的，所以取名为“偃”。徐君听闻此事，于是就将其收留了。偃长大后十分的聪颖仁德，便继承了徐国君主之位。之后鹄仓死前，头上生出长角，身后有九条尾巴，竟然是条黄龙。偃王在徐中将其安葬，如今在那里还能看到这座坟墓。

【原文】

偃王治国，仁义著闻，欲舟行上国，乃通沟陈、蔡之间。得朱弓矢，以得天瑞，遂因名为号，自称徐偃王。江、淮诸侯服从者三十六国。周王闻之，遣使至楚，令伐之。偃王爱民，不斗，遂为楚败，北走彭城武原县东山下，百姓随者万数，因名其山为徐山。山上立石室庙，有神灵，民人请祷焉。

【译文】

偃王治理国家，凭借着仁义而扬名，他想要乘船至上国，于是就在陈、蔡之间通了条渠，在开渠之时挖到了朱红色的弓箭，被视为是上苍的祥瑞之德，然后就用自己的名字定号，自称徐偃王。服从他的有江、淮诸侯三十六个国家。周王听闻此事，便派遣使者去楚国，下令楚国派兵讨伐偃王。偃王怜惜自己的百姓，不应战，于是败给了楚军，向北出逃，来到了彭城武原县的东山下，数以万计的百姓随行之。所以此山取名为徐山，山上修筑了石室庙，庙宇很是灵验，民众都前去此庙祭拜祈祷。

# 卷九　清水、淇水、荡水、洹水

【原文】

山在国北，所谓共北山也，仙者孙登之所处。袁彦伯《竹林七贤传》，嵇叔夜尝采药山泽，遇之于山。冬以被发自覆，夏则编草为裳，弹一弦琴，而五声和。

【译文】

山在都城以北，这就是所谓的共北山，这是仙人孙登的住所。袁彦伯《竹林七贤传》记载：嵇叔晚上曾到山间、泽地采药，在山里遇到他，冬天披头散发，由此来遮盖自己的身体，夏天用草编织衣裳，只用一根弦的琴就能弹奏出美妙的五音。

【原文】

治中刘明，别驾吕次文，主簿向班虎、荀灵龟，以宣尼大圣，非碑颂所称，宜立记焉，云，仲尼伤道不行，欲北从赵鞅，闻杀鸣铎，遂旋车而反。及其后也，晋人思之，于太行岭南为之立庙，盖往时回辕处也。余按诸子书及史籍之文，并言仲尼临河而叹曰：丘之不济，命也夫！是非太行回辕之言也。碑云：鲁国孔氏，官于洛阳，因居庙下，以奉蒸尝[1]。斯言是矣。盖孔氏迁山下，追思圣祖，故立庙存飨耳。

【注释】

①蒸尝：泛指祭祀。

【译文】

治中刘明、别驾吕次文，主簿向班虎、荀灵龟，都认为孔子是大圣人，碑颂这样的形式是不足以称颂孔子的，最合适的方式是立个碑记，言：仲尼主张的道得不到统治者的赏识，因而悲伤不已，然后决定北上投奔赵鞅，在半道上却听闻他杀了鸣铎的消息，于是就掉转车头原路返回。之后，晋人追忆他，就为他在太行岭南立了庙，这里有可能就是孔子曾掉头的地方。我按诸子书及史籍中的记载来看，都说仲尼临河叹息，说：我不能顺利渡河，也许是我的命数如此吧！然而书籍中并没有提及孔子在太行山掉转车头的事情。碑文记载道：鲁国孔氏，在洛阳为官，在庙下居住，平日主持祭祀活动。这样的说法才是正确的。因孔氏移居山下，为了追思圣人先祖，所以才在此立庙祭祀。

【原文】

《史记》曰：秦使左庶长王龁[1]攻韩，取上党。上党民走赵。赵军长平，使廉颇为将，后遣马服君之子赵括代之。秦密使武安君白起攻之。括四十万众降起，起坑之于此。《上党记》曰：长平城在郡之南，秦垒在城西，二军共食流水涧，相去五里。秦坑赵众，收头颅，筑台于垒中，因山为台，崔嵬桀起，今仍号之曰白起台。

【注释】

①王龁（hé）：战国末期秦国将领。

【译文】

《史记》写道：秦国派遣左庶长王龁去攻打韩国，夺取上党，上党的百姓都到赵国逃难。赵国在长平驻军，廉颇被任命为将军，随后又派马服君的儿子赵括取代了他。秦国秘密派遣武安君白起攻打赵括，赵括的四十万军队都向白起投降，白起就在这里活埋了他们。《上党记》记载：长平城在郡的南边，秦国的营地在城的西面，两国军队同饮此溪涧之水，溪涧相距不过五里。秦军挖坑活埋了赵国兵众后，又在营地垒砌高台来堆放他们的头颅，依据山势而建成的高台，高耸而起，人们现在仍然称其为白起台。

【原文】

淇水又东，右合泉源水。水有二源。一水出朝歌城西北，东南流。老人晨将渡水而沈吟难济。纣问其故，左右曰：老者髓不实[1]，故晨寒也。纣乃于此斮胫[2]而视髓也。

【注释】

①实：结实。②斮胫（zhuó jìng）：斩断筋骨。

【译文】

淇水又向东流，向右与泉源水汇合，泉源水有两个源头，其中一个源头在朝歌城的西北面，由此向东南流去。清晨时分，有个老人家想要渡河，但犹犹豫豫不敢入水，纣王很是好奇，就问随从其中的原因。随从说：因为老人的骨髓不实，害怕早晨的水太过冰寒，所以迟迟不敢入水。于是纣王就在这里砍断了老人家的双腿，想要一探究竟，看看老人家的骨髓是否如随从所说的那样。

【原文】

殷王武丁始迁居之，为殷都也。纣都在《禹贡》冀州大陆之野，即此矣。有糟丘酒池之事焉。有新声靡乐，号邑朝歌。晋灼曰：《史记·乐书》，纣作《朝歌》之音，朝歌者，歌不时①也。故墨子闻之，恶而回车，不迳其邑。《论语比考谶》曰：邑名朝歌，颜渊不舍②，七十弟子掩目，宰予独顾，由蹙③堕车。宋均曰：子路患宰予顾视凶地，故以足蹙之，使堕车也。今城内有殷鹿台，纣昔自投于火处也。

【注释】

①不时：本义为时时，此处引申为不适时、不合时。②舍：名词作动词，临时住宿，居留。③蹙：皱起眉头表示怨恨。

【译文】

殷王武丁最初迁都于此，这儿便成了殷的都城。纣王的都城是《禹贡》冀州所记载的大陆之野，指的就是这个地方。纣王修筑了糟丘和酒池，又常有淫靡乐声，因此人们将此城邑称为朝歌。晋灼说：《史记·乐书》记载，纣王创作了《朝歌》这首乐曲，所谓的朝歌，就是指不合时宜的歌唱。所以当墨子听到这首乐曲时，感到无比的厌恶，立即掉转车头往回走，坚决不经过这座城。《论语比考谶》说：因为朝歌这个城名，颜渊拒绝夜宿此地，在路过此地时，七十弟子全都蒙上眼睛，唯独宰予一个人回头望了一眼，仲由看见后狠狠踢了他一脚，宰予从车上跌落下来。宋均说：因为子路恼恨宰予回头望了这不吉之地，所以才用脚将其踢下车。

现在城内还留有殷朝修建的鹿台，那是昔日纣王自己投身火窖的地方。

【原文】

荡水出河内荡阴县西山东，荡水出县西石尚山，泉流迳其县故城南，县因水以取名也。晋伐成都王颖，败帝于是水之南。卢綝《四王起事》曰：惠帝征成都王颖，战败，时举辇司马八人，辇犹在肩上，军人竞就杀举辇者，乘舆顿地，帝伤三矢，百僚奔散，唯侍中嵇绍扶帝，士将兵之。帝曰：吾吏也，勿害之。众曰：受太弟命，惟不犯陛下一人耳。遂斩之，血污帝袂。将洗之，帝曰：嵇侍中血，勿洗也。此则嵇延祖殒命之所。

【译文】

荡水的源头在河内荡阴县西山以东，荡水源自县西的石尚山，泉水流经旧县城的南面，荡水县以水为名。晋朝征讨成都王颖，惠帝就是在水的南岸败下阵来的。卢綝《四王起事》说：惠帝讨伐成都王颖，吃了败仗，当时八名司马抬着轿子，轿子还在肩上，士兵们就蜂拥而至，杀了所有抬轿的人。轿子随即落地，惠帝身中三箭，百官都急于逃命，只有侍中嵇绍留了下来，他向前搀起惠帝。官兵想杀掉嵇绍，惠帝说：这是我的臣子，请你们不要杀害他。士兵回答道：我们只服从自己君主的命令，这里只有陛下您一人是不能冒犯的。于是杀死了嵇绍，他的血沾染在惠帝的衣袖上。之后，下人准备为惠帝清洗衣物，惠帝说：这是嵇侍中的鲜血，万万洗不得。这个位置就是嵇延祖丧命的地方。

【原文】

昔慕容儁梦石虎[①]啮其臂，寤而恶之，购求其尸，而莫之知。后宫嬖妾言，虎葬东明观下。于是掘焉，下度三泉，得其棺，剖棺出尸，尸僵不腐。儁骂之曰：死胡[②]，安敢梦生天子也，使御史中尉阳约数其罪而鞭之。此盖虎始葬处也。

【注释】

①石虎：后赵武帝，字季龙，羯族，上党武乡（今山西榆社北）人，为人残暴，荒淫无度。②胡：是中国古代对北边或西域民族的称呼。而石虎为羯族

人，羯族位于北方。

【译文】

过去慕容儁梦见石虎咬他的臂膊，梦醒后为此深感恼恨，于是重金悬赏征集石虎的尸体，但始终无人知晓石虎的下落。后宫有个宠妾说：石虎的尸体在东明观下埋着。慕容儁便派人前去挖掘，掘地三尺，终于发现了一具棺椁，开棺抬出尸体，此时尸体已经成为僵尸，但却未腐烂。慕容儁怒斥道：该死的胡人！你竟敢托梦给在生的天子！然后让御史中尉阳约一一列出其罪状，并鞭打他。此处就是石虎最初埋葬的地方。

【原文】

许慎《说文》、吕忱《字林》并云：洹水出晋、鲁之间。昔声伯梦涉洹水，或①与己琼瑰而食之，泣而又为琼瑰，盈其怀矣。从而歌曰：济洹之水，赠我以琼瑰。归乎，归乎，琼瑰盈吾怀乎！后言之，之②暮而卒。即是水也。

【注释】

①或：代词，有人。②之：代词，指代声伯。

【译文】

许慎《说文》、吕忱《字林》都记载洹水的源头在晋、鲁之间。过去声伯梦见自己渡过洹水的时候，有人给了他一块玉石，让他吃掉，结果他落下的泪水竟变成了玉石，声伯玉石满怀。然后歌唱道：渡洹水，赠予我玉石，归去吧，归去吧，让玉石充满我的怀抱！之后又将这个梦反复讲述着，直到傍晚时分才死去。这里所说的洹水指的就是这条水。

## 卷十　浊漳水、清漳水

【原文】

水出台壁西张讳岩下，世传岩赤则土罹兵害，故恶其变化无常，恒以石粉污之令白，是以俗目之为张讳岩。

【译文】

黄须水的源头在台壁西面的张讳岩下面。世间有传言称当张讳岩呈现红色之时，便会有战争或是灾难发生，因此人们对张讳岩的变化无常感到十分厌恶，人们便用石粉将其涂成白色，所以世人称其为张讳岩。

【原文】

《春秋古地》云：葵丘，地名，今邺西三台是也。谓台已平，或更有见，意所未详。中曰铜雀台，高十丈，有屋百一间，台成，命诸子登之，并使为赋。陈思王下笔成章，美捷当时。亦魏武望奉常王叔治之处也。昔严才与其属攻掖门，修闻变，车马未至，便将官属步至宫门。太祖在铜雀台望见之，曰：彼来者必王叔治也。相国钟繇曰：旧，京城有变，九卿各居其府，卿何来也？修曰：食其禄，焉避其难？居府虽旧，非赴难之义。时人以为美谈矣。

【译文】

《春秋古地》说：葵丘是地名，它的所在地就在邺城西面的三座台。如今台已被夷为平地，但也许当年有人曾见过，但现在已经不能考究清楚了。中间的台名为铜雀台，高约十丈，有一百零一间房屋。台落成之后，魏武帝让他的儿子们登上楼台，并要求他们为之作赋。陈思王下笔成章，辞藻优美，才思敏捷，无人能及。铜雀台还是魏武帝眺望到奉常王叔治的地方。过去严才和他的下属进攻宫殿的边门，王修听闻有事变发生，车马尚未到达，就带领下属急忙步行赶往宫门。太祖远远望见这一幕后，说道：赶来的那个人肯定是王叔治。相国钟繇说：往日京城里有事变发生，九卿在各自的官府中留守着，为什么你要赶过来呢？王修说：领别人的俸禄，当人家陷入危难之时，岂能躲起来逃避呢？如果按照老规矩确实应该留守官府中，但就缺失了挺身而出、救人于危难的义气。这件事被当时的人们传为美谈。

【原文】

漳水又北迳祭陌西。战国之世，俗巫为河伯取妇，祭于此陌。魏文侯时，西门豹为邺令[①]，约诸三老[②]曰：为河伯娶妇，幸来告知，吾欲送女。皆曰：诺。至时，三老、廷掾[③]，赋敛百姓，取钱百万，巫觋[④]行里中，有好女者，祝当为河伯妇。以钱三万聘女，沐浴脂粉如嫁状。豹往会之，三老、巫、掾与民咸集赴观。巫妪年七十，从十女弟子。豹呼妇视之，以为非妙，令巫妪入报河伯，投巫于河中。有顷，曰：何久也？又令三弟子及三老入白，并投于河。豹磬折曰：三老不来，奈何？复欲使廷掾、豪长趣[⑤]之，皆叩头流血，乞不为河伯取妇。淫祀[⑥]虽断，地留祭陌之称焉。又慕容儁投石虎尸处也。

【注释】

①邺令：邺县的县长。②三老：是古代掌教化的乡官。③廷掾（yuàn）：县令的属吏。④巫觋：泛指巫师，古代称女巫为“巫”，男巫为“觋”。⑤趣（qū）：前往。⑥淫祀：指不合礼制的祭祀。

【译文】

漳水又向北流经祭陌的西面。战国时期，民间的巫师为河伯娶妻，都是在这里进行祭祀活动的。魏文侯时，西门豹为邺令，与所有的三老有约，说道：你们为河伯娶妻的时候，麻烦来通知我一声，让我前去送送那个姑娘。三老们一并答应下来。到了为河伯娶妻的日子，三老、廷掾就向百姓征税，征集到了百万钱币。巫师们在乡里四处游走，只要发现有漂亮的姑娘，就认为应当送给河伯做新娘，然后给姑娘家送去三万钱做礼金，为她沐浴更衣、浓妆淡抹，与平日嫁女无异。西门豹前去赴约，三老、巫婆、廷掾和百姓都前去观看。巫师有七十岁了，有十个女弟子跟随她参加祭祀活动。西门豹把准备出嫁的新娘叫来看了一下，他觉得新娘不够好，让巫婆去告诉河伯，于是就将巫婆扔到水里去了。不一会儿，问道：为何去报告了这么久还不回来？又让那三个弟子及三老再去转告河伯，然后将其全部投入河中。西门豹毕恭毕敬地弯着腰说：三老前去报告，到现在还没回来，如何是好？又让廷掾和豪长前去打探消息。他们害怕得不停磕头求饶，直至头破血流，说再也不给河伯娶妻了。如今为河伯娶妻的祭祀仪式已经不存在了，但却留下了祭陌这个地名。同时这里也是慕容俊把石虎尸体投入河里的地方。

【原文】

《尚书》曰：尧将禅舜，纳之大麓之野，烈风雷雨不迷，致之以昭华之玉，而县取目焉。

【译文】

《尚书》写道：尧将皇帝之位禅让给舜时，预备在大麓之野等待舜的到来，当时狂风暴雨，舜却没有迷失方向，如期抵达，然后尧就将昭华之玉赠予了舜，此县也由此得名。

【原文】

《春秋左传》：昭公十五年，晋荀吴帅师伐鲜虞，围鼓①三月，鼓人请降。穆子曰：犹有食色，不许。军吏曰：获城而弗取，勤民而顿兵，何以事君？穆子曰：获一邑而教民怠，将焉用邑也？贾怠无卒，弃旧不祥。鼓人能事其君，我亦能事吾君。率义不爽，好恶不愆②，城可获也。有死义而无二心，不亦可乎？鼓人告食竭力尽而后取之。克鼓而返，不戮一人，以鼓子鸢鞮归，既献而返之。鼓子又叛。荀吴略东阳，使师伪籴③，负甲息于门外，袭而灭之，以鼓子鸢鞮归，使涉佗守之者也。

【注释】

①鼓：鲜虞族的小国，国境当今河北晋县。②愆（qiān）：罪过。③籴（dí）：买粮食。

【译文】

《春秋左传》：昭公十五年，晋国荀吴领兵征讨鲜虞，围困了鼓城很多个月，鼓人派人来降。穆子却说：城里面的人面色红润，说明粮食充足，因此不接受来降。军吏说：现在此城唾手可得，你却不拿下，反而劳民折兵，如何还能效力于君主呢？穆子回答道：现在是能攻取下这座城，却收获了懈怠的百姓，如何能够治理好它呢？即使顺利地夺取了城池，换来的只是松懈的民众，这样并不是好的结果。抛弃传统也会有不好的事情发生。鼓人能够侍奉好他们的君主，我们同样也能够为我们的君主效力。按照正义行事，赏罚分明，才能算是真正拥有了这座城。能一心为英勇大义而牺牲自己，难道不好吗？鼓人称城内无粮可食，百姓疲惫不堪，穆子方才派人来取城，晋军攻城后凯旋，没有杀任何一个人，只将鼓子鸢鞮俘虏了，将其献给君主后又放走了他。鼓子再度叛变，荀吴攻下东阳，让士兵伪装成买粮之人，在城门外身着铠甲休息，然后突击，一举歼灭鼓城。再度俘获鼓子鸢鞮，派遣涉佗去驻守鼓城。

【原文】

《东观汉记》[1]曰：光武拜王梁为大司空，以为侯国。耆宿[2]云：邑人有行于途者，见一小蛇，疑其有灵，持而养之，名曰担生。长而吞噬人，里中患之，遂捕系狱。担生负而奔，邑沦为湖，县长及吏咸为鱼矣。今县治东北半里许落水。渊水又东南，结而为湖，又谓之郎君渊。耆宿又言：县沦之日，其子东奔，又陷于此，故渊得郎君之目矣。

【注释】

①《东观汉记》：记载东汉光武帝至汉灵帝一段历史的纪传体史书，因官府于东观设馆修史而得名。②耆宿（qí sù）：特指德高望重的老者。

【译文】

《东观汉记》记载：光武帝任命王梁为大司空，将侯国作为封地赐给了他。老人们传言说：县里有人在走路时发现了一条小蛇，总觉得这条小蛇很有灵性，然后就将蛇饲养在家中，取名为“担生”。但蛇长大后吃了人，邻居都很害怕，于是报官，将养蛇者关进了监牢。担生背着它的主人逃跑了，整个县城下陷变成了湖泊，县长和官吏都变成了湖泊中的鱼。现在县城东北大约半里之地都被淹没在水中。渊水向东南流，积聚形成了湖泊，又被称为“郎君渊”。老人们还说：县城陷下去的那天，那个人的儿子一路向东奔跑，最后也沉陷在这个地方了，所以这个深潭才有郎君渊这个名字。

# 卷十一　易水、滱水

【原文】

易水出涿郡故安县阎乡西山，易水出西山宽中谷，东迳五大夫城南。昔北平侯王谭，不从王莽之政，子兴，生五子，并避时乱，隐居此山，故其旧居，世以为五大夫城，即此。

【译文】

易水的源头在涿郡故安县阎乡西山上，易水的源头在西山宽中谷，向东流经五大夫城的南面。昔日北平侯王谭，不愿归顺王莽的政权，子孙兴旺，一共生了五个儿子，全都跟随他在外避难，就隐居在这座山里头。所以人们就为他们过去曾经居住过的城取名为“五大夫城”，说的就是此地。

【原文】

昔燕文公徙易，即此城也。阚骃称：太子丹遣荆轲刺秦王，与宾客知谋者祖道于易水上。《燕丹子》称，荆轲入秦，太子与知谋者，皆素衣冠送之于易水之上。荆轲起为寿，歌曰：风萧萧兮易水寒，壮士一去兮不复还！高渐离击筑[①]，宋如意和之。为壮声，士发皆冲冠；为哀声，士皆流涕，疑于此也。

【注释】

①筑（zhù）：流行于战国时期的一种击弦乐器，形如筝，有十三条弦，弦下边有柱。

【译文】

昔日燕文公迁居到易县生活，易县指的就是这座城。阚骃说：太子丹派荆轲去刺杀秦王，知道这一刺杀行动的宾客都一同前往易水上为他饯行。《燕丹子》记载：荆轲启程前往秦国之时，太子和知道此事的人都前往易水为他送行，饯行者都身着白衣，佩戴白帽。荆轲起身敬酒，唱道：风萧萧兮易水寒，壮士一去兮不复还！高渐离在一旁击筑，宋如意为其伴唱，唱到悲壮之处，人们的头发都因为高涨的情绪而竖起，连帽子都被顶起来了；唱到凄凉之处，人们都痛哭不已。这次壮阔的饯行仪式很可能就是在这里进行的。

【原文】

《帝王世纪》曰：尧母庆都所居。故县目曰望都。张晏曰：尧山在北，尧母庆都山在南，登尧山见都山，故望都县以为名也。唐亦中山城也，为武公之国，周同姓。周之衰也，国有赤狄之难，齐桓霸诸侯，疆理邑土，遣管仲攘戎狄，筑城以固之。其后，桓公不恤国政。周王问太史余曰：今之诸侯，孰先亡乎？对曰：天生民而令有别，所以异禽兽也。今中山淫昏康乐，逞欲无度，其先亡矣。后二年果灭。

【译文】

《帝王世纪》说：尧的母亲庆都在这里居住，所以为此县取名为望都。张晏说：尧山在北面，尧母庆都山在南面，只要登上尧山就能眺望都山，因而取名为望都县。唐城也就是中山城，那是武公的国都，武公与周王同姓。周王室衰微，国家有赤狄来犯，此时齐桓公称霸诸侯，对自己的疆土加强管理，他派遣管仲前去反攻戎狄，并修筑城来巩固边防。到后来，桓公不再关心朝堂之事，周王问太史余说：现在的诸侯之中，谁会最先灭亡呢？太史余回答道：上天创造了人，又让人各有不同，就是为了将人同禽兽区分开来。如今中山的君主昏庸无道，荒淫无度，我想中山会最先灭亡吧。正如他所言，两年之后，中山果然最先灭亡了。

【原文】

博水又东南，迳穀梁亭南，又东迳阳城县，散为泽渚。渚水潴涨①，方广数里，匪直②蒲笋是丰，实亦偏饶菱藕，至若娈婉③丱童④，及弱年⑤崽子⑥，或单舟采菱，或叠舸折芰，长歌阳春，爱深绿水，掇拾者不言疲，谣咏者自流响；于是行旅过瞩，亦有慰于羁望矣。世谓之为阳城淀也。

【注释】

①潴涨（zhū zhǎng）：水满。②匪直：不只。③娈婉：美好的样子。④丱（guàn）童：指年幼的、天真活泼的孩童。⑤弱年：年少。⑥崽子：孩子。

【译文】

博水又向东南流经榖梁亭的南面，又向东流经阳城县，散为湖泽。每年湖水上涨之时，方圆数里，有丰富的香蒲和竹笋，还盛产菱角和莲藕。那些扎着双辫的孩童和少年，有的独自泛舟采菱，有的寻来几只小舟一块儿折菱，他们在三月阳春里纵情歌唱，对这悠悠碧水充满了无限的爱意，采菱人并无疲惫之感，歌唱者的乐声悠扬，路过这里的行人，羁旅之心得到了无尽的安慰。世人为此湖取名为阳城淀。

【原文】

《春秋左传》：哀公四年，齐国夏伐晋，取曲逆是也。汉高帝击韩王信，自代过曲逆，上其城，望室宇甚多，曰：壮哉！吾行天下，惟洛阳与是耳。诏以封陈平为曲逆侯，王莽更名顺平。

【译文】

《春秋左传》记载：哀公四年的夏天，齐国进攻晋国，占领了曲逆。汉高帝攻打韩王信，从代始发经过曲逆这个地方，登上城楼，远望只见城中有众多的房屋，不由得感叹道：好壮观啊！此城很是宏大！我游遍大江南北，只有洛阳和这座城市是我所见过最为壮观的。然后他诏令陈平为曲逆侯，后来王莽将此城改名为顺平城。

【原文】

其水又东流，汉光武追铜马、五幡于北平，破之于顺水北，乘胜追北，为其所败。短兵相接，光武自投崖下，遇突骑王丰，于是授马退保范阳。

【译文】

（徐）水又向东流，汉光武帝追击铜马军和五幡军至北平，在顺水北面战胜了他们，乘胜追击，不料却被他们反败为胜。两军兵戎相见，慌乱中光武帝跳入悬崖，幸亏遇见了冲出敌军围困的王丰，王丰让光武帝乘上快马，退至范阳保卫阵地。

## 卷十二　圣水、巨马水

【原文】

水出郡之西南圣水谷，东南流，迳大防岭之东首，山下有石穴，东北洞开，高广四五丈，入穴转更崇深，穴中有水。耆旧传言，昔有沙门释惠弥者，好精物隐，尝篝火寻之。傍水入穴，三里有余，穴分为二：一穴殊小，西北出，不知趣诣①；一穴西南出，入穴经五六日方还，又不测穷深。其水夏冷冬温。春秋有白鱼出穴，数日而返，人有采捕食者，美珍常味，盖亦丙穴嘉鱼之类也。

【注释】

①趣诣：通往何处。趣，通“趋”，趋向。诣，前往，去到。

【译文】

圣水的源头在这个郡西南面的圣水谷，向东南流经大防岭的东面。山下有个石洞，洞口朝东北方向大开，高、宽有四五丈，进入山洞后会发现洞穴内更高、更深，洞里有水源。据老人相传，以前有个惠弥和尚，喜欢探究隐秘的事物，曾手持火把进洞探索。依水而行大约三里多地，洞穴就分成了两个：一个非常小，通向西北方向，出口通往何处，并不是很清楚；另一个洞穴往西南方向延伸，在这个洞穴中行走了五六天，摸不清它到底有多深，最后只好返回。洞里的水冬暖夏凉，到了春秋季，会有白鱼从洞穴中游出，游了几日之后又会返回洞中，曾经有人捕食过这种白鱼，非常鲜美，大概同丙穴嘉鱼是同一类吧。

## 卷十三　㶟水

【原文】

县西北上平，洪源七轮，谓之桑干泉，即㶟涫水者也。耆老云：其水潜通，承太原汾阳县北燕京山之大池。池在山原之上，世谓之天池，方里余。澄渟镜净，潭而不流，若安定朝那[1]之湫渊也。清水流潭，皎焉冲照，池中尝无斥草，及其风箨[2]有沦[3]，辄有小鸟翠色，投渊衔出，若会稽之耘鸟[4]也。其水阳熯[5]不耗，阴霖不滥，无能测其渊深也。古老相传言，尝有人乘车于池侧，忽过大风，飘之于水，有人获其轮于桑干泉，故知二水潜流通注矣。

【注释】

①安定朝那（zhū nuó）：古代地名，治所在今宁夏固原一带，北魏末废置。②箨（tuò）：竹笋的外壳。③沦：沉没，降落。④耘鸟：典出《文选·左思〈吴都赋〉》："象耕鸟耘，此之自与。"相传舜在苍梧死去，有象为他耕；禹安葬在会稽，有鸟为他耘。⑤熯（hàn）：干燥，热。

【译文】

阴馆县西北的上平，有七道山泉，被称作"桑干泉"，也就是灅涫水。据老人们说：此水有暗流，与太原汾阳县以北燕京山的大池相通，大池在高原上，世人称之为天池，方圆内，池水似明镜那般澄澈，积聚却不流动，宛若安定朝那的湫渊一样。清泉流淌至潭中，皎洁无比，池中寸草不生，轻风拂来，有竹箨沦入水中，偶有青色小鸟，投入深渊将其衔出，同会稽的耘鸟无异。渊水虽久旱却不干涸，虽有洪涝却不泛滥，没有人能够判断它的深度。有古老的传言称，从前有人乘车经过池畔，忽遇狂风大作，车被卷入水中，之后，有人在桑干泉中拾到了丢失的车轮，方才知晓这两处的水是有暗流相通的。

【原文】

干宝《搜神记》曰：昔秦人筑城于武州塞内以备胡，城将成而崩者数矣。有马驰走一地，周旋反覆。父老异之，因依以筑城，城乃不崩，遂名之为马邑。或以为代之马城也。诸记纷竞，未识所是。

【译文】

干宝《搜神记》记载：昔日为了防备胡人的冒犯，秦国在武州边境内筑城，连续几次快要修筑好时，城就崩塌了。有匹马围着同一个地方反复兜圈子，乡亲们都觉得很奇怪，于是在马跑过的地方筑城，竟然修筑得很顺利，不再崩塌，就将此城命名为“马邑”。有些人认为这是代的马城，说法众多，不能确定。

【原文】

按《燕书》，建兴十年，慕容垂自河西还，军败于参合，死者六万人。十一年，垂众北至参合，见积骸如山，设祭吊之礼，死者父兄皆号泣，六军哀恸。垂惭愤呕血，因而寝疾焉。轝[①]过平城北四十里，疾笃，筑燕昌城而还，即此城也，北俗谓之老公城。

【注释】

①轝（yú）：古同“舆”，奔向。

【译文】

据《燕书》载，建兴十年，慕容垂从河西归来，军队在参合战败了，牺牲了六万人。建兴十一年，慕容垂大军北上参合，看见尸骨堆积如山，于是在此凭吊。死者的父兄都哀号痛哭，全军悲痛不已。慕容垂深感惭愧和悲愤而口吐鲜血，最后病倒了。当车子行至平城以北四十里的地方，慕容垂病入膏肓，修筑燕昌城之后就回去了，当时修筑的燕昌城就是这座城。北方百姓称其为老公城。

【原文】

今平城东十七里有台，即白登台也，台南对冈阜，即白登山也。故《汉书》称上遂至平城，上白登者也，为匈奴所围处。孙畅之《述画》曰：汉高祖被围七日，陈平使能画作美女，送与冒顿[①]阏氏[②]，恐冒顿胜汉，其宠必衰，说冒顿解围于此矣。

【注释】

①冒顿（mò dú）：一般指冒顿单于，匈奴人中第一个杰出的军事家和统领。灭东胡，征诸国，夺河套，建帝国，成为北方最强大民族的统领。②阏氏（yān zhī）：匈奴的皇后。

【译文】

如今平城以东十七里有白登台，白登台以南与白登山相望。因此

《汉书》记载，高祖来到平城，登上了白登山，这里就是匈奴围困高祖的地方。孙畅之《述画》写道：汉高祖被困七天，陈平让画工绘制了美女像，献给冒顿的皇后，皇后担心一旦冒顿打败汉，自己就会失去恩宠，所以劝冒顿撤兵，由此解了平城之围。

【原文】

水导源火山，西北流，山上有火井，南北六七十步，广减尺许，源深不见底，炎势上升，常若微雷发响。以草爨[①]之，则烟腾火发。东方朔《神异传》云：南方有火山焉，长四十里，广四五里，其中皆生不烬之木，昼夜火然，得雨猛风不灭。火中有鼠，重百斤，毛长二尺余，细如丝，色白，时时出外，以水逐而沃之则死。取其毛，绩以为布，谓之火浣布。是山亦其类也，但卉物则不能然。其山以火从地中出，故亦名荧台矣。

【注释】

①爨（cuàn）：烧火做饭。

【译文】

西溪水的源头在火山，向西北方向奔腾，山上有火井，南北长六七十步，宽略小一尺左右，其源头深不见底，热气不断上升，常常伴随着轻微的雷声，用草来烧，立马冒烟起火。东方朔《神异传》记载：南方有火山，长四十里，宽四五里，山中遍布烧不成灰烬的树木，这些树木昼夜燃烧不止，哪怕遭遇暴风骤雨，也不会熄灭。火中有一种老鼠，重达百斤，毛长二尺余，雪白且细如丝。这种老鼠常跑出来，如果人们追赶它，并用水去浇它，那么这种老鼠会即刻死掉。用这种老鼠的毛制成的布叫火浣布。这座山应该也属于这一类，但植物燃烧不起来。这座山因为地底下有火喷薄而出，由此又得名荧台。

【原文】

《魏土地记》曰：下洛城东南四十里有桥山。山下有温泉，泉上有祭堂。雕檐华宇，被于浦上，石池吐泉，汤汤其下，炎凉代序，是水灼焉无改，能治百疾，是使赴者若流。

【译文】

《魏土地记》记载：下洛城东南面四十里有桥山，山下有一眼温泉，泉上建立有一座祭堂。雕梁画栋，屋宇华美。有泉水从石池流出，浩浩汤汤，不论严寒酷暑，这里的泉水都处于恒温状态，能治百病。所以不断有人涌向这里享受温泉的治疗。

【原文】

《魏土地记》曰：大甯城[1]西二十里有小甯城，昔邑人班丘仲居水侧，卖药于甯，百余年，人以为寿，后地动宅坏，仲与里中数十家皆死，民人取仲尸弃于延水中，收其药卖之。仲被裘从而诘之，此人失怖，叩头求哀。仲曰：不恨汝，故使人知我耳。去矣。后为夫馀王驿使来甯，此方人谓之谪仙也。

【注释】

①大甯城：地名。甯，通“宁”。

【译文】

《魏土地记》写道：大甯城的西面二十里处有小甯城。从前城里有个叫班丘仲的，家住水滨，在甯城卖药，活了一百多岁，人们都觉得他非常长寿，后来有一次地震，房屋倒塌，压死了班丘仲和邻居数十人家。有村民把他的尸体拖到延水中丢弃，然后卖掉了班丘仲的药。（忽而一天）班丘仲身着皮衣，（突然出现在那人面前）责问那个乡民，那人被吓坏了，拼命磕头乞求班丘仲原谅。班丘仲说：我不恨你，但是你要让世人们都知晓我的事情，我现在就要离开了。后来那人以夫馀王使者的身份来到了甯城，当地人都说他是神仙。

【原文】

秦始皇二十三年灭燕，以为广阳郡。汉高帝以封卢绾为燕王，更名燕国。王莽改曰广有，县曰代戎。城有万载宫、光明殿，东掖门下，旧慕容儁立铜马像处。昔慕容廆有骏马，赭白，有奇相逸力。至儁光寿元年，齿四十九矣。而骏逸不亏，儁奇之，比鲍氏骢[1]，命铸铜以图其像，亲为铭赞，镌颂其傍，像成而马死矣。

【注释】

①鲍氏骢：即鲍氏所乘的马。典出《乐府诗集·杂歌谣辞三·鲍司隶歌》。鲍宣同他的儿子、孙子三代人都为司隶，都乘骢，京师之人由此歌之。后用“鲍氏骢”指司隶校尉或三公之职。骢，青白杂毛的马。

【译文】

秦始皇二十三年灭燕国，并设广阳郡。汉高祖赏封卢绾为燕王，更名为燕国，王莽时改为广有，县名为代戎。城内有万载宫、光明殿。在东掖门下，是过去慕容俊立铜马像的地点。从前慕容廆有一匹红白相间骏马，俊奇且有神力。到光寿元年，已四十九岁，风采却不减当年。慕容俊认为它是世间稀物，将之与鲍宣的骢马相比，下令为其铸铜像，并亲题赞词，镌刻在铜像旁边，当铜像落成，此马却死了。

# 卷十四　湿余水、鲍丘水、濡水

【原文】

溪之东岸有石室三层，其户牖[1]扇扉，悉石也，盖故关之候台矣。南则绝谷，累石为关垣，崇墉峻壁，非轻功可举。山岫层深，侧道褊狭[2]，林鄣邃险，路才容轨。晓禽暮兽，寒鸣相和，羁官[3]游子，聆之者莫不伤思矣。

【注释】

①户牖（yǒu）：门和窗。②褊（biǎn）狭：狭小，窄。③羁（jī）官：久宦异乡的人。

【译文】

（湿余水）溪水东岸，有三层石室，石室的门窗和框架全由石头制成，这是旧关的烽火台。烽火台的南面有深谷，关垣的城墙是由石块垒砌而成，墙很高，墙壁峻峭无比，并不能轻松完工。重峦叠嶂，山谷幽深，狭窄的山路，有深林作为其天然屏障，形成险要的地势，每次只能容一辆车通行。清晨的飞禽，黄昏的走兽，在寒风中互相应和着鸣叫，羁旅之人闻此哀鸣之声，不免生出思乡之情。

【原文】

山有阳翁伯玉田，在县西北；有阳公坛社，即阳公之故居也。《搜神记》曰：雍伯，洛阳人，至性笃孝。父母终殁，葬之于无终山。山高八十里，而上无水，雍伯置饮焉。有人就饮，与石一斗，令种之，玉生其田。北平徐氏有女，雍伯求之，要以白璧一双。媒者致命，伯至玉田，求得五双。徐氏妻之，遂即家焉。

【译文】

山上有阳翁伯的玉田，这块玉田在县城西北面的阳公坛社，也就是阳公的故居。《搜神记》写道：雍伯，洛阳人，向来孝顺，父母去世了，就将他们安葬在无终山，此山高八十里，山上没有水，雍伯将水放在墓前，有人路过的时候，喝了他的水来解渴，然后就把一斗石头送给了他，作为回报，让他把这种石头种到田里，没过多久，田间生出了许多玉。北平徐家有女，雍伯请来媒人为他说媒，徐家要求雍伯以一双白璧作为聘礼。媒人告诉雍伯徐家人的要求，于是雍伯便在田中收了五双白璧，让媒人送去徐家，徐家人看见丰厚的聘礼，就答应把女儿嫁给他，至此之后，雍伯就在无终山安了家。

【原文】

《阳氏谱叙》言，翁伯是周景王之孙，食采阳樊。春秋之末，爰宅无终，因阳樊而易氏焉。爱人博施，天祚①玉田。其碑文云，居于县北六十里翁同之山，后潞徙于西山之下，阳公又迁居焉，而受玉田之赐。情不好宝，玉田自去。今犹谓之为玉田阳。干宝曰：于种石处，四角作大石柱，各一丈，中央一顷之地，名曰玉田，至今相传云，玉田之揭，起于此矣，而今不知所在，同子《谱叙》自去文矣。

【注释】

①祚（zuò）：福，赐福。

【译文】

《阳氏谱叙》写道：翁伯是周景王的孙子，在阳樊受封，春秋末年，在无终山安居，所以阳樊更姓为阳。他以仁爱之心，博爱天下之人，（此德行感动了天帝，）因此天帝赐给他一块玉田。碑文记载：阳公原来居住在县北六十里的翁同山，到后来，路人迁居到了西山下，阳公才在这里安了家，得到了天帝赏赐的玉田。阳公并不在意财富，玉田就自己消失了，这地方至今仍然还是用玉田阳这个名字。干宝说：在种石的地方，四角各竖一根大石柱，每一根长一丈，中间的那块地有一顷，名为玉田，到现在这个称呼还流传着，就是从这一时期开始，大石柱成为玉田的标志，可现在已然不知去向了。干宝的言论与《谱叙》所记载的玉田自然消失的说法是大体一致的。

【原文】

《地理志》曰：令支有孤竹城，故孤竹国也。《史记》曰：孤竹君之二子伯夷、叔齐，让国于此，而饿死于首阳。汉灵帝时，辽西太守廉翻梦人谓己曰：余，孤竹君之子，伯夷之弟。辽海漂吾棺椁，闻君仁善，愿见藏覆。明日视之，水上有浮棺，吏嗤笑者皆无疾而死。于是改葬之。《晋书·地道志》曰：辽西人见辽水有浮棺，欲破之。语曰：我孤竹君也，汝破我何为？因为立祠焉。

【译文】

《地理志》说：令支有孤竹城，就是过去的孤竹国。《史记》记载：孤竹君有两个儿子，伯夷和叔齐，为了推让国君之位，饿死在首阳山。汉灵帝时期，辽西太守廉翻梦见有人对他说：我是孤竹君的儿子，伯夷的弟弟，辽海上漂浮着我的棺椁，我听闻您非常仁善，我希望您安葬我的棺椁。次日，廉翻前去辽海一看，果然辽海上漂浮着棺椁，那些嗤笑他的小吏都无疾而终了，于是就换了一处将其安葬。《晋书·地道记》记载：辽西人看见漂浮在辽海上的棺椁，想打开它一探究竟，却传来了一个声音，说道：我是孤竹君，你们为何要打开我的棺椁？然后人们就将其安葬，为他立了祠。

【原文】

《三齐略记》曰：始皇于海中作石桥，海神为之竖柱。始皇求与相见。神曰：我形丑，莫图我形，当与帝相见。乃入海四十里，见海神。左右莫动手，工人潜以脚画其状。神怒曰：帝负约，速去。始皇转马还，前脚犹立，后脚随崩，仅得登岸，画者溺死于海。众山之石皆倾注。今犹岌岌东趣。

【译文】

《三齐略记》写道：秦始皇在海中建造了一座石桥，海神为秦始皇竖石柱以筑桥。秦始皇希望能够见海神一面，海神说：我外表丑陋，我可以同你见面，但是你要答应我的要求，不能把我的模样画下来。秦始皇答应了海神的要求，然后入海约四十里，见到了海神，随行者都不敢动手记录海神的模样，但有一个随行的画师，偷偷用脚临摹了海神的长相。海神勃然大怒道：您背叛了我们的约定，赶快离开吧！秦始皇立刻掉转车马返回岸边，前脚刚登岸，后脚地就崩塌了，秦始皇侥幸逃脱，而那个画师就在海里溺死了。群山的石头都滚落到海水里，这些石头至今还是向东倾斜着的。

【原文】

又按《管子》：齐桓公二十年，征孤竹，未至卑耳之溪十里，阘然①止，瞠然视，援弓将射，引而未发，谓左右曰：见前乎？左右对曰：不见。公曰：寡人见长尺而人物具焉，冠，右祛衣②，走马前，岂有人若此乎？管仲对曰：臣闻岂山之神，有偷儿，长尺，人物具。霸王之君兴，则岂山之神见。且走马前，走，导也；祛衣，示前有水；右祛衣，示从右方涉也。至卑耳之溪，有赞水者，从左方涉，其深及冠；右方涉，其深至膝。已涉，大济。桓公拜曰：仲父之圣至此，寡人之抵罪也久矣。今自孤竹南出则巨海矣，而沧海之中，山望多矣，然卑耳之川若赞溪者，亦不知所在也。昔在汉世，海水波襄，吞食地广，当同碣石，苞沦洪波也。

【注释】

①阘（xì）然：忽然，突然。②祛衣：敞开衣襟。祛，除去。

【译文】

又据《管子》记载，齐桓公二十年，出征孤竹，在离卑耳溪还有十里的时候，突然停下来，面露惊讶之色，瞪大双眼，拉开弓箭，却没有射箭，然后对随行者说：你们刚才有看见前面出现的东西吗？随从们回答道：未见有东西出现。齐桓公说：方才，寡人看见了奇怪的东西，大约有一尺长，有着人的外表，戴帽，右边衣襟敞开着。随从走到马前一看，哪有齐桓公所说的怪人！管仲回答说：微臣听闻岂山有个山神，名为偷儿，身约一尺长，模样像人。只有能称霸为王的君主出现之时，山神才会显现。马走在前头，是在指路；敞开衣襟，预示着前面有水；右衣襟敞开，就是暗示你从右边渡水。等到了卑耳溪，开路的人尝试从左边渡河，发现水深至帽檐，然后从右边渡河，水只到膝盖。军队便从右边顺利渡河。齐桓公作揖道：仲父，您真是圣明啊！我太失礼了，应该受到处罚才是。如今从孤竹向南去，是一片大海，在广阔无垠的大海中，人们还能够辨认出许多山，但那条开路人曾经渡过的卑耳溪却不知去向。早在汉朝时，大片的陆地被海水淹没，想来卑耳溪应该和碣石一同被大海吞没了吧。

【原文】

《博物志》曰：魏武于马上逢狮子，使格之，杀伤甚众。王乃自率常从健儿数百人击之。狮子吼呼奋越，左右咸惊。王忽见一物，从林中出，如狸，超上王车轭[①]上。狮子将至，此兽便跳上狮子头上，狮子即伏不敢起。于是遂杀之，得狮子而还。

【注释】

①车轭（è）：车辕前端用来扼牛马之颈的器具。

【译文】

《博物志》说：魏武帝骑马时遇上了一头狮子，想让随行者杀掉它，不料反被狮子伤了许多人，然后武帝亲自带领精兵数百人前去追击狮子，狮子怒吼着奋勇一跃，吓坏了随行之人。忽然，武帝看见树林中有一不明物体窜出，好似狐狸，一跃至武帝的车轭上。狮子快要靠近的时候，此兽跃上了狮子的头顶，一瞬间，狮子就趴在地上，不敢起来。于是武帝命人将狮子杀了，然后抬着狮子返回了。

# 卷十五　洛水、伊水

【原文】

臧荣绪《晋书》称，孙登尝经宜阳山，作炭人见之，与语，登不应。作炭者觉其情神非常，咸共传说。太祖闻之，使阮籍往观，与语，亦不应。籍因大啸。登笑曰：复作向声。又为啸，求与俱出，登不肯。籍因别去，登上峰，行且啸，如萧韶笙簧之音，声振山谷。籍怪而问作炭人，作炭人曰：故是向人声。籍更求之，不知所止，推问久之，乃知姓名。

【译文】

臧荣绪在《晋书》中写道：孙登曾经路过宜阳山，有个制作木炭的人遇到了他，同他说话，无论如何，孙登都始终不应答他。制炭人觉得眼前之人非常特别，与常人不同，于是孙登的事情就四下传开了。晋太祖听说了此事后，派阮籍前去探个究竟。阮籍见到了他，同他打招呼，同样的，孙登始终不答话。于是阮籍便仰天长啸，孙登笑着对他说：你再试着长啸几声。阮籍听后，又再次高声长啸，然后邀请孙登出山，但是孙登却不答应。阮籍只好作罢，作别而去。孙登边走边长啸，向着山顶而去，他长啸的声音就好比箫管、笙簧齐奏的声音，在山谷回响。阮籍觉得很讶异，便去向制炭人打听，制炭人回答他说：那个人之前也是这样，喜欢发出这样的声音。阮籍想要再度寻其踪迹，人却不知所踪，四处打听，才打听到了他的姓名。

【原文】

《长沙耆旧传》云：祝良，字召卿，为洛阳令。岁时亢旱，天子祈雨不得。良乃身曝阶庭，告诚引罪，自晨至中，紫云水起，甘雨登降。人为歌曰：天久不雨，烝人失所。天王自出，祝令特苦。精符感应，滂沱下雨。

【译文】

《长沙耆旧传》说道：祝良，字召卿，他任洛阳县令之时，有一年遇到大旱，天子求雨，却始终求不到雨。于是祝良打着赤膊站在庭院里，真诚地向上苍请罪，就这样一直从清晨站到中午，这时，天空中突然出现了一团团的紫云，顷刻之间，大雨倾盆。于是有人编唱了歌谣：老天爷久旱无雨，老百姓无处安身，天子爷亲自求雨，祝县令辛苦万分，感德行精诚所至，于是换得大雨滂沱。

【原文】

《地记》曰：洛水东入于中提山间，东流会于伊是也。昔黄帝之时，天大雾三日，帝游洛水之上，见大鱼，杀五牲以醮①之。天乃甚雨，七日七夜，鱼流，始得图书。今《河图·视萌篇》是也。

【注释】

①醮（jiào）：祭神。

【译文】

《地记》中写道：洛水向东流进了中提山，继续向东流与伊水汇合。昔日黄帝时期，大雾天气持续了很多天，黄帝观赏游玩洛水之时，看到一条大鱼，立刻杀了五牲并以醮礼祭祀，于是天降大雨，足足下了七天七夜，雨水充沛，大鱼能够在水中自由游动，《河图》之书现世，被黄帝取得，也就是现在的《河图·视萌篇》。

【原文】

昔王子晋好吹凤笙，招延道士，与浮丘同游伊洛之浦，含始又受玉鸡之瑞于此水，亦洛神宓妃之所在也。

【译文】

从前，王子晋沉迷于吹凤笙，招纳了修道之人，在伊水、洛水之滨，和浮丘公一同游玩。汉高帝的母亲含始也在洛水得到了玉鸡赠予的吉祥之物，同时，这里还是洛神宓妃曾生活过的地方。

【原文】

又东届零星坞，水流潜通，重源又发，侧缑氏原，《开山图》谓之缑氏山也。亦云，仙者升焉。言王子晋控鹄斯阜，灵王望而不得近，举手谢而去。其家得遗屣[1]，俗亦谓之为抚父堆，堆上有子晋祠。或言在九山，非此，世代已远，莫能辨之。

【注释】

①屣（xǐ）：鞋子。

【译文】

（休水）又向东流经零星坞，有暗流相通，又重新流出，流到缑氏原的侧面。缑氏原，在《开山图》中被称为缑氏山。据说，神仙在此地升天。也有传言说王子晋驾着鹄在此山之顶驻足，灵王只能远远地望着他，却不能够靠近他，然后王子晋挥手告别了灵王后，就飞天而去。他的家人捡到了王子晋遗留下来的鞋子。世人也称这个地方为抚父堆，在抚父堆上有子晋祠。也有人声称子晋祠坐落在九山，而不是在这个地方，但是年代太久，我们已经没有办法辨别它的真实位置了。

【原文】

水出北山鄤溪，其水南流，世谓之温泉水。水侧有僵人穴，穴中有僵尸。戴延之从刘武王《西征记》曰：有此尸，尸今犹在。夫物无不化之理，魄无不迁之道，而此尸无神识，事同木偶之状，喻其推移，未若正形之速迁矣。

【译文】

鄤水的源头在北山的鄤溪，水向南流，人们都称其为温泉水。在温泉水的旁边有僵人洞，洞中有僵尸存在。戴延之跟随刘武王，在《西征记》中记载道：洞中有僵尸，僵尸至今还存在。世上没有不灭之物，也没有魂魄不破散的说法，然而洞中的僵尸并没有精神和意识，就如同木偶一般，而且它的身体也不同于正常的身体，并不会快速腐烂。

【原文】

昔有莘氏女采桑于伊川，得婴儿于空桑中，言其母孕于伊水之滨，梦神告之曰：臼水出而东走。母明视而见臼水出焉。告其邻居而走，顾望其邑，咸为水矣。其母化为空桑，子在其中矣。莘女取而献之，命养于庖，长而有贤德，殷以为尹，曰伊尹也。

【译文】

过去有一个莘氏姑娘，她去伊川采桑，在一个空心的桑树洞中拾到一个婴儿。有传言称这个婴儿的母亲是在伊水之滨怀孕的，她梦见有神仙对她说——当你看见有水从石臼里漫出来时，就一直向东走。次日，婴儿的母亲果真看见有水从石臼里漫出来。她告诉邻里之后就开始向东跑，当她回头望去，就看见自己生活的地方已被一片汪洋吞没了。然后孩子的母亲变成了一棵空心的桑树，她的孩子就在树洞中。这个姑娘将婴儿献给了国君，君主让厨子收养了这个孩子，孩子长大后素有贤名且品行高洁，于是殷汤任命他为尹，名叫伊尹。

【原文】

《战国策》曰：东周欲为田，西周不下水。苏子见西周君曰：今不下水，所以富东周也，民皆种他种。欲贫之，不如下水以病之，东周必复种稻，种稻而复夺之，是东周受命于君矣。西周遂下水。即是水之故渠也。

【译文】

《战国策》记载：东周想要种水稻，然而西周不愿意给东周放水。苏子拜见西周国君，对他说：您现在不给东周放水，反而会让东周变得富足，因为东周的农民种不了水稻，就种别的作物了。如若想让他们变得贫穷，不如现在放水去损害他们的农田。如此一来，东周必定又会种水稻，当他们再次种水稻时，我们便不放水给他们，这样一来，东周就会听命于您，任您摆布了。西周王听取了苏子的建议，于是为东周放水。此处就是过去水流的渠道。

【原文】

《后汉书·郊祀志》曰：建武二年，初制郊兆于洛阳城南七里，为圜坛八陛；中又为重坛，天地位其上，皆南向。其外坛，上为五帝位，其外为遗，重营皆紫，以像紫宫。按《礼》，天子大裘而冕，祭皞[①]天上帝于此。今兖冕[②]也，坛壝[③]无复紫矣。

【注释】

①皞（hào）：通“昊”。②兖（yǎn）冕：指龙衣和冠冕。③壝（wéi）：古代祭坛四周的矮墙。

【译文】

《后汉书·郊祀志》中写道：建武二年，人们在洛阳城南面七里的地方开始规划郊坛，预备将祭坛修筑成圆形，一共八道台阶，然后在中央修筑一座两层的祭坛，把天地的神位按坐北朝南的方位安放在上面，最外层的祭坛是五帝的神位。坛外是围墙，共有两层围墙，围墙都被涂成了紫色，代表紫宫。依照礼制：天子身着皮衣，头戴帽子，在这个地方祭祀皞天之帝。而现在，天子不再这样穿戴了，而且祭坛的矮墙也不再涂成紫色。

【原文】

《广志》曰：鲵鱼声如小儿啼，有四足，形如鲮鳢，可以治牛，出伊水也。司马迁谓之人鱼，故其著《史记》曰：始皇帝之葬也，以人鱼膏为烛。徐广曰：人鱼似鲇而四足，即鲵鱼也。

【译文】

《广志》中记载：鲵鱼的叫声和小孩子的啼哭声很像。鲵鱼有四只脚，外形和穿山甲很像，能够治好牛的病状。伊水盛产这样的鲵鱼。司马迁把鲵鱼称为人鱼，所以在他的《史记》中写道：秦始皇下葬的时候，把人鱼膏做成蜡烛。徐广说：人鱼和鲇鱼相似，都有四只脚。这应该就是鲵鱼了。

## 卷十六　穀水

【原文】

穀水又东，迳魏将作大匠毌丘兴墓南，二碑存焉。俭[①]父也。《管辂别传》曰：辂尝随军西征，过其墓而叹，谓士友曰：玄武藏头，青龙无足，白虎衔尸，朱雀悲哭，四危已备，法应灭族。果如其言。

【注释】

①俭：毌（guàn）丘俭，字仲恭，河东闻喜（今山西省闻喜县）人，三国时期曹魏后期的重要将领。

【译文】

縠水又向东流经魏将作大匠毌丘兴墓的南边，那两块墓碑至今犹存。毌丘兴是毌丘俭的父亲。《管辂别传》记载道：管辂曾经跟随军队西征，途中经过了他的坟墓，看到坟墓四周的雕刻，禁不住叹了一口气，然后对他的朋友说：你看看坟墓的雕饰，蜷缩着头的玄武，断足的青龙，嘴衔死尸的白虎，失声痛哭的朱雀，不吉的四件事情这里全有，按照常理来看会被灭族啊。这件事情果然被他说中了。

【原文】

《语林》曰：陈协数进阮步兵酒，后晋文王欲修九龙堰，阮举协，文王用之。掘地得古承水铜龙六枚，堰遂成。水历堨东注，谓之千金渠，逮于晋世，大水暴注，沟渎泄坏，又广功[①]焉。

【注释】

①广功：扩大重建此地。广，此处为扩大之意。功，功业。

【译文】

《语林》记载：陈协屡次向阮步兵进献美酒，后来晋文王想要兴修九龙堰，阮步兵就举荐了陈协，文王便任用了他。在动工挖地时，从地里头挖掘出了六枚古代的承水铜龙，然后堰得以顺利完工。水经过此堰向东流，人们称其为千金渠。等到了晋朝，大水暴涨，渠道被大水冲垮了，于是又扩大重新修建。

【原文】

孙盛《魏春秋》曰：景初元年，明帝愈崇宫殿雕饰观阁，取白石英及紫石英及五色大石，于太行縠城之山，起景阳山于芳林园，树松竹草木，捕禽兽以充其中。于时百役繁兴，帝躬自掘土，率群臣三公已下，莫不展力。

【译文】

孙盛《魏春秋》记载：景初元年，明帝越来越崇尚将宫殿修建得高大宏伟，观阁雕饰也追求富丽堂皇之感，采掘了太行山穀城山上的白石英、紫石英和五色大石，在芳林园中建造了景阳山，在山上栽满松竹草木，又将珍禽异兽捕来放在其中。修建的时候，百工同时进行，明帝亲自掘土，带领着群臣三公投入建设，没有谁不奋力修建。

【原文】

《文士传》曰：文帝之在东宫也，宴诸文学。酒酣，命甄后出拜，坐者咸伏，惟刘桢平视之。太祖以为不敬，送徒隶簿。后太祖乘步牵车乘城，降阅簿作，诸徒咸敬，而桢拒坐，磨石不动。太祖曰，此非刘桢也？石如何性？桢曰：石出荆山玄岩之下，外炳五色之章，内秉坚贞之志。雕之不增文，磨之不加莹，禀气贞正，禀性自然。太祖曰：名岂虚哉？复为文学。

【译文】

《文士传》说：文帝在东宫设宴款待朝中的文官，喝酒喝到兴头上，文帝令甄后前来拜见百官，在场的百官没人敢抬头看甄后，纷纷低下了头，唯独刘祯一人坦然地平视甄后。太祖见此很是不悦，认为刘祯有失礼仪，将其打入牢狱服苦役。后来有一次，太祖乘车巡察，经过登城，然后前往牢狱视察服劳役的情况，狱中的犯人们看见太祖来访，丝毫不敢怠慢，全都毕恭毕敬地向太祖行礼，唯独刘祯无动于衷，仍停留在原处磨石头。太祖见状，上前问道：你不是那个刘祯吗？你说说看这石头的质地如何？刘祯笃定地回答道：这是从荆山玄岩下采来的石头，此石花纹呈现五彩之色，光芒万丈，外表虽华美，但是石头内秉持着坚贞之志。即使精心雕琢它的外表，也不能为它增添多少美感，用心打磨它，同样不能为它的光泽添彩。它秉持着坚贞的天然气质，且具朴实自然的性情。太祖说：刘祯果然是名副其实的贤才！于是刘祯官复原职。

【原文】

及晋永嘉元年，洛阳东北步广里地陷，有二鹅出，苍色[1]者飞翔冲天，白色者止焉。陈留孝廉董养曰：步广，周之翟泉，盟会之地。今色苍，胡象矣，其可尽言乎？后五年，刘曜、王弥入洛，帝居平阳。

【注释】

①苍色：青色。

【译文】

在晋朝永嘉元年间，洛阳东北的步广里地区有土地下陷，有两只鹅从下陷的地里跑出来。青绿色的那只鹅，一飞冲天；白色的那只鹅，没有飞走，而是停留下来。陈留孝廉董养说：步广，是周时的翟泉，过去是盟会的地方；现在有青色的鹅出现，那可是象征着胡人呀，真是难以言喻啊！五年之后，刘曜、王弥攻陷了洛阳，于是皇帝迁都平阳。

【原文】

晋《中州记》曰：惠帝为太子，出闻虾蟆声，问人，为是官虾蟆、私虾蟆？侍臣贾胤对曰：在官地为官虾蟆，在私地为私虾蟆。令曰：若官虾蟆，可给廪。先是有谶云：虾蟆当贵。

【译文】

晋书《中州记》记载：惠帝尚为太子时，出巡途中听到有蛤蟆的叫声，便问随行之人，外面的鸣蛙究竟属于官家还是属于私人？侍臣贾胤回答道：依微臣之见，在官家土地之上的便是官家的蛤蟆，而在私人领地上的便是私人的蛤蟆。惠帝认为贾胤说得有道理，便下令道：假如是官家的蛤蟆，就用粮食来喂养它们吧。先人有言：蛤蟆是要变尊贵的象征啊。

【原文】

《竹林七贤论》曰：王戎幼而清秀。魏明帝于宣武场上为栏，苞虎牙，使力士袒裼，迭与之搏，纵百姓观之。戎年七岁，亦往观焉。虎乘间薄栏而吼，其声震地，观者无不辟易颠仆。戎亭然不动。帝于门上见之，使问姓名而异之。

【译文】

《竹林七贤论》记载：王戎小时候相貌俊朗清秀。魏明帝给宣武场围上了栅栏，命人拔掉老虎的牙齿，派勇猛的大力士赤膊斗虎，昭告百姓前来观赏。当时王戎还是个七岁的孩子，也跟着去看勇士斗虎，老虎乘势冲向栅栏，凶猛一吼，声音响彻云霄，震动大地，围观的人们都四处逃窜，害怕被猛虎袭击，现场独王戎一人纹丝不动。明帝将这一幕尽收眼底，心中大喜，觉得王戎与众不同，于是差人上前打探他的名字。

【原文】

《东观汉记》曰：郅恽为上东门候。光武尝出，夜还，诏开门，欲入，恽不内。上令从门间识面。恽曰：火明辽远。遂拒不开，由是上益重之。

【译文】

《东观汉记》说：郅恽在东门当守门人。有一次光武帝出行，直到深夜才回城，下令打开城门，想要进城，郅恽恪尽职守，始终不肯开门。光武帝没有办法，便让他开一条缝，从门缝让他辨认面孔。郅恽回答道：火光太亮，太遥远了，看不清楚。因此仍然拒绝打开城门。光武帝非常赏识郅恽的责任心，由此愈发重视他。

【原文】

《东观汉记》曰：更始发洛阳，李松奉引，车马奔，触北阙铁柱门，三马皆死，即斯阙也。

【译文】

《东观汉记》中写道：更始帝从洛阳出发，李松负责引路，拉车的马不知受到了何种惊吓，突然疯狂地向前奔去，直直撞上了北阙的铁柱门，拉车的那三匹马全都撞死了。这里所说的北阙就是此阙。

【原文】

榖水又南，迳白马寺东。昔汉明帝梦见大人，金色，项佩白光。以问群臣。或对曰：西方有神，名曰佛，形如陛下所梦，得无是乎？于是发使天竺，写致经像。始以榆欓[1]盛经，白马负图，表之中夏。故以白马为寺名。此榆欓后移在城内愍怀太子浮图中，近世复迁此寺，然金光流照，法轮东转，创自此矣。

【注释】

①榆欓（dǎng）：用榆木做的经函。

【译文】

縠水又向南流经白马寺的东面。从前，汉明帝梦中遇见了一个金色的巨人，巨人的脖子上佩戴着白光。（他觉得此梦非比寻常，）便询问身边的臣子，百官中有人说：听闻西方有个叫佛的大神，佛的模样同陛下所描述的相同，说不定您梦中的巨人就是这西方的佛呢？（明帝听后，很想验证是否梦中的巨人就是西方的佛，）于是派遣使者前往天竺，将佛经抄写、佛像描摹回来。最开始的时候，将经书装在榆木盒子之中，用白马将佛像载回，派人在中原宣传佛像。由此将寺庙命名为白马寺。后来，那些装经书的榆木盒子都转移到城内愍怀太子的宝塔里，近几年这些经书又运回白马寺中存放。金光流照、法轮东转，就是从这之后开始流行的。

【原文】

明帝永平五年，长安迎取飞廉并铜马，置上西门外平乐观。今于上西门外，无他基观，惟西明门外，独有此台，巍然广秀，疑即平乐观也。又言皇女稚殇，埋于台侧，故复名之曰皇女台。晋灼曰：飞廉，鹿身，头如雀，有角，而蛇尾、豹文。董卓销为金用。铜马徙于建始殿东阶下。胡军丧乱，此象遂沦。

【译文】

明帝永平五年，长安迎取了飞廉和铜马，在西门外的平乐观里安放着。现在到西门外去，除了西门外没有别的屋宇基础，独西明门外有土台，此台很是宏大秀美，大概这楼台就是平乐观。又有记载，皇帝的女儿幼年就去世了，安葬在在楼台的旁边，因此这座楼台又称为皇女台。晋灼说：飞廉，身形似鹿，头似雀，长有角，有蛇那样的尾巴，长着豹纹。董卓时候，飞廉铜像被熔铸成钱币，而铜马安放在建始殿东阶下。后来，胡军攻入长安，铜马在战乱中不知所踪。

【原文】

昔洛水泛泆，漂害者众，津阳城门校尉将筑以遏水。谏议大夫陈宣止之曰：王尊，臣也。水绝其足，朝廷中兴，必不入矣。水乃造门而退。

【译文】

过去洛水发大水，很多人都死于这次洪灾。津阳城门的校尉想要采用修筑堤坝的方法来阻挡洪水。谏议大夫陈宣前来劝阻道：王尊是臣子，洪水刚刚没过他的脚就停滞了，朝廷兴盛，水一定不会涌入城中。（正如陈宣所言，）水仅仅流至城门便退却了。

【原文】

袁氏《王陆诗叙》：机初入洛，次河南之偃师，时忽结阴，望道左若民居者，因往逗宿。见一少年，姿神端远，与机言玄，机服其能而无以酬折，前致一辩，机题纬古今，综检名实，此少年不甚欣解。将晓去，税驾逆旅。妪曰：君何宿而来？自东数十里无村落，止有山阳王家墓。机乃怪怅，还睇昨路，空野霾云，攒木蔽日，知所遇者，审王弼也。

【译文】

袁氏《王陆诗叙》：陆机刚到洛阳的时候，经过河南偃师。忽然，天空中布满了乌云，他看见道路左边似乎有民居，于是前去投宿。随后陆机看见一个少年，少年的姿态神情端庄且深远，与陆机讨论玄学头头是道，陆机对他的才华佩服得五体投地，实在没法驳倒他，于是提出一个辩题。陆机先是讲述了从古至今的许多故事，然后一一从名实上检讨，少年对此有些反感，难以理解。天快亮的时候，陆机辞别少年，继续赶路前行，中途下榻在一家旅店中。老妇人问道：您赶路至此，中途是在哪儿休息的呀？从这向东走，方圆几十里内无一村落，只有山阳王家的坟墓。听完老妇人的话，陆机感到十分讶异，又有些失意，他回看来时的路，（哪里还有房屋和少年，）有的只是荒野和阴郁的云气，高耸的树木遮挡了阳光。陆机猜想，昨晚遇见的少年想必就是王弼了。

【原文】

此山即祝鸡翁之故居也。《搜神记》曰：祝鸡翁者，洛阳人也，居尸乡北山下，养鸡百年余，鸡至千余头，皆有名字；欲取，呼之名，则种别[1]而至。后之吴山，莫知所去矣。

【注释】

①种别：按种类区别。

【译文】

（陆机遇见少年的）这座山就是祝鸡翁过去生活的地方。《搜神记》记载：祝鸡翁，洛阳人，在尸乡北山下定居，养了百余年的鸡，有一千余只鸡，每只鸡都有名字。祝鸡翁想要捉鸡的时候，只要呼喊鸡的名字，它们就会按照各自的类别走到他的面前。后来他迁居吴山，就没有人知道他的去向了。

## 卷十七　渭水

【原文】

《魏志》称，咸熙二年，襄武上言，大人见，身长三丈余，迹长三尺二寸，白发，著黄单衣巾，拄杖，呼民王[1]，始语云：今当太平。十二月，天禄永终，历数在晋。遂迁魏而事晋。

【注释】

①民王：民众之王。

【译文】

《魏志》记载，咸熙二年，襄武县上书朝廷，声称襄武县出现了巨人，巨人身长有三丈多，足迹长三尺二寸，发白如雪，身着金黄色单衣，佩戴黄头巾，拄着拐杖，口中直呼“民王”，然后才说：现在天下太平。但是十二月时，天禄国运便将断绝，晋朝会取代魏国。于是从曹魏迁出，去为晋朝做事。

【原文】

南有长堑谷水，次东有安蒲溪水，次东有衣谷水，并南出朱圉山。山在梧中聚，有石鼓，不击自鸣，鸣则兵起。汉成帝鸿嘉三年，天水冀南山有大石自鸣，声隐隐如雷，有顷止，闻于平襄二百四十里，野鸡皆鸣。石长丈三尺，广厚略等。著崖胁，去地百余丈，民俗名曰石鼓，石鼓鸣则有兵。是岁，广汉钳子攻死囚，盗库兵，略吏民，衣绣衣，自号为仙君，党与漫广。明年冬，伏诛，自归者三千余人。信而有征矣。

【译文】

南面有长堑谷水，偏向东边的位置有安蒲溪水，再向东有衣谷水，这三条河流的源头都在南方的朱圉山上。山的位置在梧中聚，山上有石鼓，没有人敲击也能够自己发出声音，石鼓只要发出声响就意味着将有战事发生。汉成帝鸿嘉三年，天水冀南山有块大石无人敲击而发出了声音，声音隐隐作响，与雷鸣声相似，响了好一会儿方才平息。石头发出的声音，在二百四十里外的平襄县也能听见，还引起了野鸡的鸣叫。大石大约有一丈三尺长，宽度、厚度几乎相等。它处在悬崖缝隙之间，距离地面约百余丈，民间都称大石为石鼓，只要石鼓发出响声，就预示将有战事。那一年，广汉钳子围攻监狱，降服了诸多死刑犯，盗取大量的兵器，掠夺了官吏和百姓。他身着绣花衣，自称仙君，聚集了大量的党羽。第二年的冬天，他被就地正法，当年犯案者有三千余人，都前来自首。由此可见，民间的传言还是有可信度的，有时候确实能够得到验证。

【原文】

故天水郡治，王莽更名镇戎，县曰冀治。汉明帝永平十七年，改曰汉阳郡。城，即隗嚣[1]称西伯所居也。后汉马超[2]之围冀也，凉州别驾阎伯俭[3]潜出水中，将告急夏侯渊[4]，为超所擒，令告城无救。伯俭曰：大军方至，咸称万岁。超怒，数[5]之。伯俭曰：卿欲令长者出不义之言乎？遂杀之。

【注释】

①隗(kuí)嚣：字季孟，天水成纪（今甘肃秦安）人。②马超：字孟起，扶风茂陵人，东汉末年及蜀汉的开国名将。③阎伯俭：阎温，字伯俭，天水郡西城县（今甘肃礼县）人，东汉末年官员。④夏侯渊：字妙才，沛国谯（今安徽亳州）人，东汉末年名将。⑤数（shǔ）：责备，数落。

【译文】

这里过去属于天水郡管理，后来王莽将郡名改为镇戎，县取名为冀治。汉明帝永平十七年，更名为汉阳郡，此城是隗嚣自称西伯时定居之地。到后来，汉代的马超包围了冀城，情况危急，于是凉州别驾阎伯俭偷偷潜入水中逃出城外，计划前去通知夏侯渊，不料被马超擒住，马超威胁他让他告诉夏侯渊冀城已经被攻陷，无法救援。伯俭说：大军就要来到了，我们将顺利攻城，大家放声高呼来庆贺吧！马超听后勃然大怒，责备了伯俭。伯俭说道：你想从长者口中听见不义的言辞吗？这番言辞激怒了马超，马超愤然杀了伯俭。

【原文】

瓦亭水①又西南流，历僵人峡②。路侧岩上，有死人，僵尸峦穴，故岫壑③取名焉。释鞍④就穴，直上可百余仞⑤，石路逶迤，劣通单步。僵尸倚窟，枯骨尚全，惟无肤发而已。访其川居之士，云，其乡中父老作童儿时，已闻其长旧传此，当是数百年骸矣。

【注释】

①瓦亭水：现称苦水河。②僵人峡：今甘肃省庄浪县。③岫壑（xiù hè）：山谷。④释鞍：谓舍马而不用，此处指下马。⑤仞：古代的长度单位。一仞相当于周制八尺，周制一尺相当于二十三厘米。

【译文】

瓦亭水又向西南方向流，经过僵人峡。道路旁边的岩石上有一个山洞，有个人死在山洞中，变成了僵尸，因此峡谷的名字用僵人来命名。下马后朝着山洞直去，需要攀登百余仞。这里的石路蜿蜒曲折，石道仅能通行一人。僵尸倚靠着窟穴，其尸骸完好无损，但是皮肤头发都已经消逝。前去拜访傍水而居的人，据说，乡里的老人还是孩童的时候，这件事情便已有所耳闻了。这样说来，洞穴中僵尸的骸骨应该有数百年了。

【原文】

渭水东入散关。《抱朴子·神仙传》曰：老子西出关，关令尹喜候气，知真人将有西游者，遇老子，强令之著书，耳不得已，为著《道德二经》，谓之《老子书》也。有老子庙。干宝《搜神记》云：老子将西入关，关令尹喜，好道之士，睹真人当西，乃要之途也。皇甫士安《高士传》云：老子为周柱下史，及周衰，乃以官隐，为周守藏室史，积八十余年，好无名接，而世莫知其真人也。至周景王十年，孔子年十七，遂适周见老聃。然幽王失道，平王东迁，关以捍移，人以职徙，尹喜候气，非此明矣。往迳所由，兹焉或可。

【译文】

渭水向东流入散关。《抱朴子·神仙传》记载：老子西行出关，一个叫喜候气的关令尹，知晓真人将要向西游历，他遇见了老子，强行要老子为其著书。李耳迫不得已，只好撰写了《道德二经》，被称为《老子书》。那里有老子庙。干宝《搜神记》记载：老子将要西行入关，关令尹喜是一个喜欢谈论道学的人，听闻真人将要西行来访了，就想在途中留下他。皇甫士安《高士传》中记载：老子在周朝任柱下史一职，周王室衰微后，便辞官归隐，长达八十余年都在为周王室守护藏室史，不追名逐利，广纳万事，世人都不清楚他的真人身份。直到周景王十年，孔子已经是十七岁的少年，于是去周国拜访老聃。然而幽王昏庸无道，平王向东迁移，关址也随着疆土的改变而不断地变动着，因为职务关系不断地调动人员，尹喜候气一事，很明显不是发生在这里的。但是老子途经此地，还是有很大的可能的。

【原文】

故道县有怒特祠，《列异传》曰：武都故道县有怒特祠，云神本南山大梓也。昔秦文公二十七年，伐之，树疮随合。秦文公乃遣四十人，持斧斫之，犹不断。疲士一人，伤足不能去，卧树下，闻鬼相与言曰：劳攻战乎？其一曰：足为劳矣。又曰：秦公必持不休。答曰：其如我何？又曰：赤灰跋于子，何如？乃默无言。卧者以告。令士皆赤衣，随所斫以灰跋，树断，化为牛，入水。故秦为立祠。

【译文】

故道县有怒特祠，《列异传》记载：武都故道县有怒特祠，据说祭祀的神明原本是南山的一株大梓树。在秦文公二十七年的时候，秦文公曾派人去伐过此树，然而刚砍出口子，疮口马上就愈合了。于是秦文公派遣了四十个人，手持斧头前去砍树，树木始终不断。其中有人疲惫不堪，而且伤到了脚，行动不便，于是就躺在树荫底下休息，然后听见有鬼同树神对话。鬼问道：你这一仗很是辛苦吧？树神回答道：的确十分劳累。鬼又说：秦文公必定会坚持到底的，绝不可能善罢甘休。树神回答：他能拿我怎么样呢？鬼又问树神：如果用红色的灰围住你会怎样呢？树神于是陷入沉默之中。在树荫下休息的人向秦文公上报了这件事。文公下令所有的伐木人统一穿上红色的衣服，在砍树的同时，用灰将树围住，树终于被砍倒，而树神化作牛蛙，跃入了水中。因此秦文公在此为树神立祠。

【原文】

县有陈仓山，山上有陈宝鸡鸣祠。昔秦文公感伯阳之言，游猎于陈仓，遇之于此坂，得若石焉，其色如肝，归而宝祠之，故曰陈宝。其来也自东南，晖晖声若雷，野鸡皆鸣，故曰鸡鸣神也。

【译文】

陈仓县里有座陈仓山，山上有陈宝鸡鸣祠。过去秦文公被伯阳的一番话打动，便在陈仓游猎，在打猎的山坡上获得了一块宝石，宝石有如肝脏那般的颜色。游猎归来，文公将宝石放在祠中供奉，祠由此得名陈宝。宝石来自东南之地，光芒四射，能发出雷鸣般的声响，它的声音常引得野鸡跟着鸣叫，因此称为鸡鸣神。

【原文】

渭水又东迳积石原，即北原也。青龙二年，诸葛亮出斜谷，司马懿屯渭南。雍州刺史郭淮策亮必争北原而屯，遂先据之。亮至，果不得上。

【译文】

渭水又向东流经积石原，也就是北原。青龙二年，诸葛亮从斜谷出兵，当时司马懿在渭南屯集兵力。雍州刺史郭淮断定诸葛亮会养兵争夺北原，于是率兵占据先机。等诸葛亮到达的时候，果真不能上去了。

【原文】

渭水又东迳五丈原北。《魏氏春秋》曰：诸葛亮据渭水南原，司马懿谓诸将曰：亮若出武功，依山东转者，是其勇也。若西上五丈原，诸君无事矣。亮果屯此原，与懿相御。

【译文】

渭水又向东流经五丈原北边。《魏氏春秋》记载道：诸葛亮占据了渭水的南原。司马懿对众将士说：如果诸葛亮从武功县出兵，能根据山势向东边转去的话，那足见他有勇有谋；假设他西去五丈原，那我们就相安无事了。诸葛亮果真在五丈原集聚兵力，与司马懿对抗。

## 卷十八　渭水

【原文】

《地理志》曰：县有太一山，《古文》以为终南。杜预[①]以为中南也。亦曰太白山，在武功县南，去长安二百里，不知其高几何。俗云：武功太白，去天三百。山下军行，不得鼓角，鼓角则疾风雨至。杜彦达[②]曰：太白山南连武功山，于诸山最为秀杰，冬夏积雪，望之皓然。山上有谷春祠。春，栎阳人，成帝时病死，而尸不寒，后忽出栎南门及光门上，而入太白山。民为立祠于山岭，春秋来祠，中上宿焉。山下有太白祠，民所祀也。刘曜[③]之世，是山崩，长安人刘终于崩所得白玉，方一尺，有文字曰：皇亡皇亡败赵昌，井水竭，构五梁，咢酉[④]小衰困嚣丧。呜呼！呜呼！赤牛奋靷[⑤]其尽乎！时群官毕贺。中书监刘均进曰：此国灭之象，其可贺乎？终如言矣。

【注释】

①杜预：字元凯，京兆杜陵（今陕西西安）人，西晋著名的政治家和军事家。②杜彦达：人名。③刘曜：前汉光文帝刘渊的养子，前赵最后一位皇帝——昭文帝。④咢（è）酉（yǒu）：指太岁在酉之年。⑤靷（yǐn）：古同“纼”，牛鼻绳。

【译文】

《地理志》记载道：县里有座太一山，在《古文》中被称作终南山。杜预将其称为中南山，又叫作太白山。此山坐落于武功县的南面，距离长安大约二百里，世人都不清楚此山的海拔。俗语有言：武功太白，离天三百。如果军队在太白山下行军，是不能够使用鼓角的，一旦使用了鼓角，暴风骤雨便会出现。杜彦达说：太白山的南面紧靠着武功山，在群山中最为秀丽突出。无论冬夏，山上都有积雪，放眼望去一片白茫茫的景象。山上有一座谷春祠。祠堂的主人谷春是栎阳人，到了成帝时病逝了，但其尸骨终日不寒，一日，他突然从栎阳南门走出来，在光门上现身，然后进入了太白山。百姓为他在山岭上立了祠。逢春秋二季，便会前往此祠住宿。山下的太白祠是百姓祭祀之地。刘曜时期，太白山崩塌了，长安人刘终在崩塌的位置拾到一块白玉，约有一尺长宽，只见玉上刻有文字：皇室将要衰亡，败给赵昌，井水枯竭，在五梁交战，击鼓祭祀使其衰败困难。呜呼！呜呼！赤牛奋力牵引也无济于事！当时的文武百官全都来祝贺，中书监刘均前来进谏道：这块玉预示着国家的灭亡啊，有什么值得庆贺的呢？正如他所言，国家最终灭亡了。

【原文】

水出太一山，其水沸涌如汤。杜彦达曰：可治百病，世清则疾愈，世浊则无验。其水下合溪流，北注十三里，入渭。渭水又东，迳斄县[①]故城南，旧邰城也，后稷之封邑矣。《诗》所谓即有邰家室也。

【注释】

①斄（tái）县：古邑名，在今中国陕西省武功县南。斄，同“邰”。

【译文】

温泉水从太一山流出，水势奔涌如沸水一般。杜彦达说：此泉水能治百病。世道清雅，就能治愈疾病；世道污浊，泉水就失去治愈的效果。水与溪流在下游汇合，向北十三里注入渭水。渭水又向东流经斄县旧城的南面，旧城就是过去的邰城，属于后稷的封邑。《诗经》所说的前往邰家的屋宇，指的就是这里。

【原文】

城东北有姜嫄祠，城西南百步有稷祠，郿之斄亭[①]也。王少林之为郿县也。路迳此亭。亭长曰：亭凶杀人。少林曰：仁胜凶邪，何鬼敢忤？遂宿。夜中，闻女子称冤之声。少林曰：可前来理。女子曰：无衣，不敢进。少林投衣与之。女子前诉曰：妾夫为涪令，之官，过宿此亭，为亭长所杀。少林曰：当为理寝冤，勿复害良善也。因解衣于地，忽然不见。明告亭长，遂服其事，亭遂清安。

【注释】

①亭：相当于如今的村庄。

【译文】

城的东北面有姜嫄祠，城的西南面百步处有稷祠，就是郿县的斄村。王少林任郿县的县令时，途中经过这个村庄。村长说：这个村子里面有害人的东西。王少林说：自古邪不压正，我相信仁能够战胜邪恶，哪有什么鬼魅敢冒犯我呢？于是他决定在此留宿。半夜传来了女人喊冤之声，王少林说：前来诉冤！女子说：我没有衣物蔽体，不敢进去。于是王少林将衣服扔给了她，那女子穿上衣服，上前哭诉道：我的丈夫原是涪县的县令，途经这个村子，留宿在村中，村长谋杀了我的丈夫。王少林（听完后，）对女子说：（放心吧，）只要你答应我不再伤害好人，我会替你伸冤的。然后那女子将衣服脱下，放在了地上，一瞬间消失了。第二天王少林对村长进行审讯，村长对自己的罪状供认不讳，从那以后，村子再也没有闹过鬼。

【原文】

昔秦文公田于汧、渭之间，梦黄蛇自天下属地，其口止于鄜衍，以为上帝之神，于是作鄜畤，祀白帝焉。秦宣公作密畤于渭南，祀青帝焉。灵公又于吴阳作上畤，祀黄帝，作下畤，祀炎帝焉。献公作畦畤于栎阳而祀白帝。汉高帝问曰：天有五帝，今四何也？博士[1]莫知其故。帝曰：我知之矣，待我而五。遂立北畤，祀黑帝焉。

【注释】

①博士：官名。秦汉时期的博士是掌管书籍文典、通晓史事的文官。

【译文】

以前秦文公到汧水和渭水之间的山林里狩猎，然后在这里梦见了一条黄蛇，蛇从天上垂到地下，蛇口的位置在鄜衍，文公认为这是天帝显灵，于是筑造了鄜畤，用来供奉白帝。秦宣公在渭南兴修了密畤，用来祭祀青帝。然后灵公又在吴阳修筑了上畤，以此祭祀黄帝；修建下畤，用来祭祀炎帝。献公在栎阳修筑了畦畤来祭祀白帝。汉高帝问道：上天有五帝，可如今为何只有四帝？博士也道不出个所以然。汉高帝说道：我明白了，待我来时，五帝就到齐了。于是兴修了北畤，以祀黑帝。

【原文】

岐水又东，迳姜氏城南为姜水。按《世本》：炎帝，姜姓。《帝王世纪》曰：炎帝，神农氏，姜姓。母女登游华阳，感神而生炎帝，长于姜水。是其地也。

【译文】

岐水又向东流经姜氏城的南面，这时叫它姜水。依据《世本》的记载，炎帝为姜姓。《帝王世纪》中写道：炎帝就是神农氏，其为姜姓。他的母亲女登在华阳游玩之时，感应到了神灵，便诞下了炎帝，炎帝是在姜水长大的。其中所提到的姜水指的就是这个地方。

## 卷十九　渭水

【原文】

东方朔称：武帝建元中微行，北至池阳，西至黄山，南猎长杨，东游宜春。夜漏十刻①乃出，与侍中、常侍、武骑、待诏及陇西、北地良家子能骑射者，期诸殿下，故有期门之号。旦明，入山下，驰射鹿、豕、狐、兔，手格熊罴。上大驩乐之。上乃使大中大夫虞丘寿王与待诏能用算者，举籍阿城以南、盩厔以东、宜春以西，提封顷亩及其贾直，属之南山以为上林苑。东方朔谏，秦起阿房而天下乱，因陈泰阶六符②之事。上乃拜大中大夫、给事中，赐黄金百斤。卒起上林苑。故相如请为天子游猎之赋，称乌有先生、亡是公而奏上林也。

【注释】

①夜漏十刻：大致为晚上八点三十分。“刻”是用于漏壶、香篆等计时仪器的计时单位，大约始于西周。一刻约为十五分钟，夜漏一般以晚上六点为开始时刻。②泰阶六符：《泰阶六符》为东方朔所撰写的关于星象的书。泰阶，古星座名。即三台。上台、中台、下台共六星，两两并排而斜上，因形如阶梯而得名。六符，谓三台六星的符验。

【译文】

东方朔说：武帝在建元年间微服私访，北行到池阳，西行到黄山，南行至长杨狩猎，东行游赏宜春。只要到晚上八点半便出门去，同侍中、常侍、武骑、待诏及陇西、北地擅长骑射的良家子弟在殿下相会，因此这个殿有名号为期门。天亮之后，便到山下，追逐着射猎鹿、猪、狐和兔，徒手搏斗熊罴。圣上大为喜悦。然后皇上派遣大中大夫虞丘寿王和工于算数的待诏，记录下阿城以南，盩厔以东，宜春以西这些地方的封地的田亩数量和价钱，并把同南山相连的地方都划属上林苑。东方朔向武帝纳谏，从秦朝修建阿房宫开始，天下就不再太平，于是向国君陈述应该先依据《泰阶六符》占卜凶吉，更好地治理和巩固政权。皇上大为赞赏，由此任命他为大中大夫、给事中，赏赐百斤的黄金。最终修建了上林苑。司马相如依据此事作了一篇关于天子游猎的赋，听说这篇赋被乌有先生、亡是公，在上林苑献给了武帝。

【原文】

渭水又东北与鄗水合，水上承鄗池于昆明池北，周武王之所都也。故《诗》云：考卜维王，宅是鄗京，维龟正之，武王成之。自汉武帝穿昆明池于是地，基搆[①]沦褫[②]，今无可究。《春秋后传》曰：使者郑容入柏谷关，至平舒置，见华山有素车白马，问郑容安之？答曰：之咸阳。车上人曰：吾华山君使，愿托书致鄗池君。子之咸阳过鄗池，见大梓下有文石，取以款列梓，当有应者，以书与之。勿妄发，致之得所欲。郑容行至鄗池。见一梓下果有文石，取以款梓，应曰：诺。郑容如睡，觉而见宫阙，若王者之居焉。谒者出，受书，入。有顷，闻语声言：祖龙死。神道芒昧，理难辨测，故无以精其幽致矣。

【注释】

①搆（gòu）：同“构”。②褫（chǐ）：夺去，革除。

【译文】

渭水又向东北方向流去，与鄗水汇合，鄗水的上游在昆明池的北面，与鄗池相接，这是过去周武王建都之地。因此《诗经》说：武王来此占卜，最终选择在鄗京定都，龟甲占卜得吉，武王顺利建都。自汉武帝开始人们就在此地挖昆明池，现在周都城的基址已被夷为平地，如今已无迹可寻。《春秋后传》记载：使者郑容进入柏谷关，到达了平舒置，望见华山上有素车白马，车上人询问郑容的去向，郑容回答道：我赶往咸阳。车上人说：我乃华山君的使者，希望你能帮忙将这封信交给鄗池君。你赶往咸阳的途中必经鄗池，到达鄗池后你会见到一棵大梓树，树下有一块带花纹的石头，用石头去敲那棵梓树，便会有人出来接应你。然后你把这封信转交给他，但是无论如何你都不能够随意拆封。只要顺利转交此信，你就能拿到你想要的东西。郑容赶到了鄗池，在一棵梓树下果然寻到了一块带花纹的石头。然后按照那人的话，用石头在梓树上敲了一下，顿时有人应答道：好的！一瞬间，郑容仿佛置身睡梦之中，等到觉醒之后，眼前出现了一座殿宇，好似帝王的居所。有侍者来到他的面前，从他手中接过了信后，又返回了宫殿中。不一会儿，有声音从宫殿中传来：祖龙死了。神灵之事迷蒙而隐晦，难以揣测，因而人们不能够细致地考究其中的秘密了。

【原文】

桓谭《新论》称，元帝被病，广求方士。汉中送道士王仲都。诏问所能。对曰：能忍寒暑。乃以隆冬盛寒日，令袒，载驷马于上林昆明池上，环冰而驰。御者厚衣狐裘寒战，而仲都独无变色，卧于池台上，曛然自若。夏大暑日，使曝坐，环以十炉火。不言热，又身不汗。

【译文】

桓谭《新论》记载，元帝身患疾病，广征天下方士为自己治疗。汉中派来了道士王仲都为元帝治病。元帝召见王仲都，问询他有何本事。王仲都回答道：我能够忍耐寒冬酷暑。然后元帝就在隆冬极寒的那天，命令他打赤膊，在上林昆明池上乘马车，围着结冰的池水不停歇地奔驰。驱车之人即使身着厚狐皮兽衣，在寒风中仍旧瑟瑟发抖，独王仲都一人不改颜色，在池台上躺卧，怡然自得，神情自若。夏天酷暑之日，元帝又让王仲都在太阳底下曝晒，用十只火炉环绕他。王仲都始终不言热，并且身上没有汗水流淌。

【原文】

桥之北首，垒石水中，故谓之石柱桥也。旧有忖留[①]神像。此神尝与鲁班语，班令其人出。忖留曰：我貌很丑，卿善图物容，我不能出，班于是拱手与言曰：出头见我。忖留乃出首，班于是以脚画地，忖留觉之，便还没水。故置其像于水，惟背以上立水上。后董卓入关，遂焚此桥，魏武帝更修之，桥广三丈六尺。忖留之像，曹公乘马见之，惊，又命下之。

【注释】

①忖留：古代传说中的神名。

【译文】

桥的北面，水中有石块垒砌在一起，因此这座桥叫作石柱桥。过去这里有忖留的神像。此神曾经同鲁班对话，鲁班希望他能出来相见。忖留说：我的样貌着实不好看，你工于描摹事物外形，因此我不能和你相见。然后鲁班拱手，诚恳地对他说：请你出来和我相见吧，只要露出头就可以了。忖留被他的诚恳所动，便露出头来，才刚露出头，鲁班就用脚描摹他的头像。忖留觉察之后，立即返回水中。因此他的像是在水上立着的，只有背以上的地方在水面上。之后董卓入关，便烧毁了这座桥，然后魏武帝再次翻修了此桥，桥宽约三丈六尺。后来曹公骑马经过此桥时，被忖留的画像吓了一跳，命人将这幅画像取下来。

【原文】

汉成帝之为太子，元帝尝急召之。太子出龙楼门，不敢绝驰道，西至直城门，方乃得度。上怪迟，问其故，以状对。上悦，乃著令，令太子得绝驰道也。

【译文】

汉成帝还是太子的时候，元帝曾经急召他入宫。太子从龙楼门出，不敢穿越国道，于是西行到直城门，方才能通过。皇上纳闷，为何太子迟迟才到，于是问他迟来的原因，然后太子将详情告诉了皇上。皇上龙颜大悦，便下诏令，给予太子穿越国道的特权。

【原文】

《竹书纪年》：梁惠成王三年，秦子向命为蓝君。盖子向之故邑也。川有汉临江王荣冢。景帝以罪征之，将行，祖于江陵北门，车轴折。父老泣曰：吾王不反矣！荣至，中尉郅都急切责王，王年少，恐而自杀，葬于是川。有燕数万，衔土置冢上，百姓矜之。

【译文】

《竹书纪年》记载：梁惠成王三年，秦子向被命名为蓝君。蓝田县大约就是子向的故乡。蓝田川有汉临江王刘荣的坟墓。景帝因其罪而征召他，在他将要出发时，乡亲父老都来到江陵北门为他饯行，这时候车轴忽然折断了，父老们哭泣不已：我们的王再也不会回来了！刘荣刚到，就被中尉郅都狠狠地责备了一通。他年纪尚小，对此惶恐不安，便自杀了，于是被安葬在了这里。有数万只燕子衔来泥土，一点点地放在刘荣的墓上，百姓都很同情这个年幼的王。

【原文】

昔文帝居霸陵，北，临厕，指新丰路示慎夫人曰：此走邯郸道也。因使慎夫人鼓瑟，上自倚瑟而歌，凄怆悲怀，顾谓群臣曰：以北山石为椁①用纻絮斮②陈漆其间，岂可动哉？释之曰：使其中有可欲，虽锢南山犹有隙；使无可欲，虽无石椁，又何戚焉？文帝曰：善！拜廷尉。

【注释】

①椁：套在棺材外面的大棺材。②斮（zhuó）：斩，砍。

【译文】

昔日文帝在霸陵下榻，站在高岸边面朝北方，手指着前往新丰的道路对慎夫人说道：你看，这条路就是通往邯郸的。于是让慎夫人鼓瑟，文帝亲自和着鼓瑟之声歌唱，心生凄怆悲凉之感。他环顾群臣，对他们说：用北山之石制成棺椁，往棺椁的缝隙里塞入浸泡了陈漆的棉絮，还能被撬开吗？张释之说：只要墓中的东西有世人所迫切追求的，哪怕南山被封得多严实，还是会有缝隙露出的；倘若没有什么人们想要得到的东西，哪怕没有石棺保护，也不会有人去拿的。您有什么好担忧的呢？文帝听完后，说：非常好！就任命他为廷尉。

【原文】

更始二年，为赤眉①所杀，故侍中刘恭，夜往，取而埋之。光武使司徒邓禹收葬于霸陵县。更始尚书仆射，行大将军事鲍永，持节安集河东，闻更始死，归世祖，累迁司隶校尉，行县迳更始墓，遂下拜哭，尽哀而去。帝问公卿，大中大夫张湛曰：仁不遗旧，忠不忘君，行之高者。帝乃释。

【注释】

①赤眉：赤眉军，中国古代的农民起义军之一。

【译文】

更始帝在更始二年时，被赤眉军杀害，前侍中刘恭，趁着夜色赶往案发现场，将其尸体带回掩埋。光武帝派司徒邓禹在霸陵县安葬了他的尸体。更始帝的尚书仆射，行大将军事鲍永，手持符节，在河东驻军，听闻更始帝遇害的消息后，便决定归顺世祖，之后不断升迁，任司隶校尉。一次巡行途经霸陵县，路过更始帝的陵墓，登时下马叩首，放声大哭，哀悼完毕才肯离去。光武帝知道了这件事（颇为不悦），便询问公卿（关于此事的看法），大中大夫张湛说：有仁之人，能够铭记老友，忠诚之士能够记挂君主，圣上拥有的是德才兼备的贤士啊！张湛的一番话让光武帝释怀。

【原文】

《汉武帝故事》曰：帝崩后，见形谓陵令薛平曰：吾虽失势，犹为汝君，奈何令吏卒上吾陵磨刀剑乎？自今以后，可禁之。平顿首谢，因不见。推问陵傍，果有方石，可以为砺，吏卒常盗磨刀剑。霍光欲斩之。张安世曰：神道茫昧，不宜为法。乃止。

【译文】

《汉武帝故事》中写道：武帝驾崩之后，显灵对陵令薛平说：我虽然风光不再，但仍然是你的君主，怎么能够让你们的士兵来我的陵墓上磨刀剑呢？从今往后，你要严禁他们做这样的事。薛平磕头请罪，武帝便消失了。他心有疑惑，便追问属下，在武帝陵墓旁果然发现有一块方石，可以用来磨石，士兵们私底下时常来此磨刀剑。霍光想杀了那些人，张安世劝道：神明所定下的道理十分隐晦和渺茫，并不适合用来制定法律法规。霍光便收回了自己的想法。

【原文】

夫人兄延年娣，尤善歌舞，帝爱之。每为新声变曲，闻者莫不感动。常侍上，起舞，歌曰：北方有佳人，绝世而独立。一顾倾人城，再顾倾人国。宁不知倾城复倾国，佳人难再得！上曰：世岂有此人乎？平阳主曰：延年娣。上召见之，妖丽，善歌舞，得幸，早卒。上悯念之，以后礼葬，非思不已，赋诗悼伤。

【译文】

李夫人的兄长李延年擅长音律，特别是在歌舞方面非常有才能，武帝由此十分赏识他。他的每一首新的乐曲，都能感动欣赏者。在侍奉武帝时，常常为其舞蹈，唱道：有一妙人生于北方，美人如玉世无双。一见魂魄萦绕倾城倒，再见只怕红颜是祸惹国亡。却不知倾城倾国时时有，美人如梦难再求。皇上很是疑惑，说道：难道这世上真有这样的女子吗？平阳主回答道：佳人还是有的，李延年的妹妹便是那绝世美人啊。武帝心动不已，便召她入宫，且被她妖艳美丽之色吸引，她又能歌善舞，深得武帝的宠爱，只可惜年纪轻轻便香消玉殒。武帝很是惋惜，用皇后之礼将其安葬。之后，武帝对李夫人思念不止，便赋诗悼亡心爱的佳人。

【原文】

赤眉樊崇于郭北设坛，祀城阳景王而尊右校卒史刘侠卿牧牛儿盆子为帝，年十五，被发徒跣①，为具绛单衣，半头赤帻②，直綦履③。顾见众人拜，恐畏欲啼。号年建世。后月余，乘白盖小车，与崇及尚书一人，相随向郑，北渡渭水，即此处也。

【注释】

①跣（xiǎn）：光着脚。②帻（zé）：古代的头巾。③綦（qí）履：指用斜纹丝织品制成的鞋。

【译文】

赤眉樊崇在城郭的北面设立了坛，用来祭祀城阳景王，推崇右校卒史刘侠卿放牧的儿子盆子为皇帝。盆子十五岁的时候，披头散发，打着赤脚，樊崇为他备好了红色的单衣、红色的头巾以及绣花鞋子。当时盆子看见众人都跪地向他行礼，从未见过这样仗势的他十分害怕，禁不住哭了起来。在建立年号和封国大概一个多月之后，他乘着白盖的小车，与樊崇以及尚书一人相随着向郑国驶去，向北渡过了渭水，书中所提及的就是这地方。

【原文】

《神仙传》曰：中山卫叔卿尝乘云车，驾白鹿，见汉武帝。帝将臣之，叔卿不言而去。武帝悔，求得其子度世，令追其父。度世登华山，见父与数人博①于石上，敕度世令还。

【注释】

①博：博剧，博戏，古代的一种棋戏。

【译文】

《神仙传》记载道：中山卫叔卿曾经乘着云车、驾着白鹿，前去拜见汉武帝。武帝并不重视他，只是把他当作奴役不断地差遣他，卫叔卿沉默不言，默默地忍受了这一切，最后选择了离开。卫叔卿离开后，武帝很是悔恨，便找来了卫叔卿的儿子度世，希望度世能追回卫叔卿。度世登上华山，只见他的父亲在石头上，同好几个人玩博戏，玩得不亦乐乎，便上前将武帝的用意告诉了父亲，劝说父亲回去。

## 卷二十　漾水、丹水

【原文】

建武八年，世祖至阿阳，窦融等悉会，天水震动。隗嚣将妻子奔西城。从杨广。广死，嚣愁穷城守。时颍川贼起，车驾东归，留吴汉、岑彭围嚣。岑等壅西谷水，以缣幔盛土为堤，灌城。城未没丈余。水穿壅不行，地中数丈涌出，故城不坏。王元请蜀救至，汉等退还上邽。

【译文】

建武八年的时候，世祖前去阿阳，并且窦融等人都前来此地与他会合。这时天水颤动不止。于是隗嚣带着妻子儿女一大家子向西城逃去，寻求杨广的保护。可就在杨广死去之后，隗嚣穷途末路，忧愁万分，已经无法再守好这座城，就在当时，颍川的盗贼们层出不穷，世祖驾着车从东面回到帝都，只留下吴汉、岑彭两位将军夹击魄嚣。于是岑彭等人将西谷水全部堵住，并且在帐幕里通通装上泥土作为堤坝，试图淹没城市，但是城墙没被淹没的地方还剩一丈高。水流无法穿透坚固的城墙，便将堤坝冲破，水从数丈深的地底下喷涌而出，所以城并没有被损坏。恰好当时王元向蜀国请来的救兵们赶到，于是吴汉的军队只好退回自己的地方。

【原文】

西晋寿，即蜀王弟葭萌所封，为苴侯邑，故遂名城为葭萌矣。刘备改曰汉寿；太康中，又曰晋寿。水有津关。段元章善风角，弟子归，元章封筒药授之，曰：路有急难，开之。生到葭萌，从者与津吏诤，打伤，开筒得书，言：其破头者，可以此药裹之。生乃叹服，还卒业焉。亦廉叔度抱父柩自沉处也。

【译文】

西晋寿是蜀王的弟弟葭萌被封为苴侯后的封地，因此后来这座城也被命名为葭萌。直到后来，刘备将它改了一个名字，叫作汉寿，其在太康年间的时候又被称为晋寿。在白水的上方有一个关口。段元章擅长风水占卜，有一次，他的一个弟子要回家，段元章就装了一盒子药交给他，并说道：假如你在路上碰到紧急的困难时，就马上打开这个盒子。等弟子到了葭萌以后，他的随从与守地的关吏发生了争吵，还被关吏给打伤了。这个时候，他打开了段元章给的小盒子，只见盒子里放着一张小纸条，上面写着：被打破头的人，可以用这个药给他敷上。弟子为此对师父更为钦佩，于是又回去重新完成了学业。而这里恰恰也是曾经廉叔度抱着其父亲的灵柩自沉而亡的地方。

【原文】

县有密阳乡，古商密[1]之地，昔楚申息之师所戍也，《春秋》之三户矣。杜预曰：县北有三户亭。《竹书纪年》曰：壬寅[2]，孙何侵楚，入三户郛者是也。水出丹鱼，先夏至十日，夜伺之，鱼浮水侧，赤光上照如火。网而取之，割其血以涂足，可以步行水上，长居渊中。

【注释】

①商密：春秋时期的一个小诸侯国——鄀国的都城。②壬寅：壬寅为干支之一，顺序为第三十九个。干支纪年是中国历法上自古以来就一直使用的纪年方法。中国传统纪年农历的干支纪年中一个循环的第三十九年称“壬寅年”。

【译文】

这个县里有一个叫密阳的乡，密阳乡也是古代鄀国的都城，曾经楚国申息的军事力量就驻扎在这一块地方，而这里，也正是《春秋》当中所提到的三户。杜预说：在这个县的北面有一个三户亭。而《竹书纪年》中说道：壬寅年，孙何攻打侵略楚国，然后攻占进入三户城，其中的三户城说的正是此地。丹水里盛产一种颜色鲜红的鱼类，在夏至日的前十天左右，只要深夜里守候在此，当这种鱼从水岸边浮上来的时候，红色的光芒照在水上就像熊熊的火焰一般，撒下渔网将其捕捞上岸，宰杀切割以后，把它的血液均匀地涂抹在脚上，便可以自由地在水面上走动，甚至可以长期居住在深渊之中。

【原文】

永嘉中，丹水浸没；至永和中，徙治南乡故城。城南门外，旧有郡社柏树，大三十围。萧欣为郡，伐之。言有大蛇从树腹中坠下，大数围，长三丈，群小蛇数十，随入南山，声如风雨。伐树之前，见梦于欣，欣不以厝意；及伐之，更少日，果死。

【译文】

永嘉年间的时候，丹水曾经将整个邯城淹没，后来到永和年间的时候，整个县就被迁移到南乡的旧城。旧城南部的城门外，曾经有一棵柏树长在寺庙的旁边，圈起来整整有三十围那般粗大。在萧欣当郡守的时候，命人将这棵大柏树给砍了。相传曾经有一条巨大的蛇从树中间的洞中掉了出来，这条蛇的身体有数围那般粗大，长度接近三丈，大概有数十只小蛇随着它爬进了南山，发出的声响剧烈得有如狂风暴雨。在萧欣命人将大柏树砍掉以前，这条大蛇曾经在梦中与他进行了交谈，但当时的萧欣并没有将此事放在心上，等砍树过后没几天，萧欣果然暴毙而亡。

## 卷二十一　汝水

【原文】

县，故子南国也。汉武帝元鼎四年，幸洛阳，巡省豫州，观于周室，邈而无祀。询问耆老，乃得孽子嘉，封为周子南君，以奉周祀。按《汲冢古文》，谓卫将军文子为子南弥牟，其后有子南劲。《纪年》，劲朝于魏，后惠成王如卫，命子南为侯。

【译文】

周承休县，是曾经存在的子南国。元鼎四年的时候，汉武帝曾经亲自到洛阳，在巡访豫州的时候，参观了周氏的陵墓祠堂，发现因为时间过于长久，所以没有人祭祀。于是去询问年纪较长的居民，结果找到了周氏的后代子孙，名字叫作子嘉，汉武帝将其封为周氏子南君，专门负责管理周氏祠堂祖先的祭祀和供奉。《汲冢古文》当中记载道，其实卫国的将军文子名字叫作子南弥牟，子南劲就是他的后代之一。《纪年》当中还记载过，子南劲曾经前去朝拜魏国。于是之后惠成王来到卫国的时候，便将子南册封为侯。

【原文】

《续汉书》曰：世祖车驾西征，盗贼群起。郊令冯鲂为贼延裒哀所攻，力屈。上诣纪氏，群贼自降，即是处，在郏城东北十余里。

【译文】

《续汉书》中有所记载：世祖亲自驾车前去西边征战，那里强盗和小偷非常泛滥。郊县的县令冯妨被其中的一个名叫延哀的盗贼攻击，气力（渐渐）衰竭。（正好此时）天子指派纪氏抵达这里（支援他），于是所有的乱贼全部主动归降，说的就是这个地方，具体位置在里邦城的东北方向十余里的地方。

【原文】

刘向《说苑》曰：襄城君始封之日，服翠衣，带玉佩，徙倚于流水之上，即是水也。楚大夫庄辛所说处，后乃县之。吕后元年，立孝惠后宫子义为侯国，王莽更名相成也。黄帝尝遇牧童于其野。故嵇叔夜赞曰：奇矣难测，襄城小童，倦游六合，来憩兹邦也。其城南对汜城，周襄王出郑居汜，即是此城也。《春秋》：襄公二十六年，楚代郑，涉汜而归。杜预曰：涉汝水于汜城下也。

【译文】

刘向《说苑》中所说道：在襄城君开始被册封的那一天，他穿着翠绿色衣服，佩戴着玉佩，在水岸边上不停地走来走去，这里说的就是这条河。也是楚大夫庄辛曾经劝说过他的那个地方。后来被设立为一个县城。吕后元年，将此地封给孝惠帝后宫所生的儿子义作为侯国，王莽后来将其名称改为相成。传说中，黄帝曾经在这襄城的一个偏僻的荒野中，与一个牧童相遇，所以嵇叔夜才会称赞道：黄帝曾疲倦地四处游历，但是世间之事诡奇莫测，竟遇到了这个襄城小牧童，（经牧童指引）才能来到这里休息。襄城的南面正对着汜城，就是周襄王离开郑国以后所居住的汜城，说的正是这一座城。《春秋》中记载：襄公二十六年，楚国军队曾经攻打过郑国，在到达汜城底下的时候就撤退了。杜预曾说：楚军所到达的地方就是汜城城楼底下的汝水。

【原文】

汝水又东南，径定陵县故城北。汉成帝元延三年，封侍中卫尉淳于长为侯国，王莽更之曰定城矣。《东观汉记》曰：光武击王莽二公，还，到汝水上，于涯，以手饮水，澡颊尘垢，谓傅俊曰：今日疲倦，诸君宁备也？即是水也。

【译文】

汝水再往东南方向流去的时候，会经过定陵县旧城区的北面。

元延三年，定陵被汉成帝封给侍中、卫尉淳于长建立侯国，王莽时期将其改名为定城。《东观汉记》中曾经记载：光武帝率兵攻打王莽手下的两名大臣，撤退过程中来到了汝水上，站在岸边，用手接水来喝，洗去脸上和身上的灰尘污垢，他对傅俊说："纵然疲惫如斯，难道大家就连一丝对抗的力气都没有了吗？"（这句话）就是在这条水流边所说。

【原文】

《春秋》：昭公十五年，许迁于叶者也。楚盛周衰，控霸南土，欲争强中国，多筑列城于北方，以逼华夏，故号此城为万城，或作方字。唐勒《奏土论》曰：我是楚也。世霸南土，自越以至叶，垂弘境万里，故号曰万城也。余按《春秋》，屈完之在召陵，对齐侯曰：楚国方城以为城。杜预曰：方城，山名也，在叶南。未详孰是。楚惠王以封诸梁子高，号曰叶公，城即子高之故邑也。叶公好龙，神龙下之。河东王乔之为叶令也，每月望，常自诣台朝，帝怪其来数而不见车骑，显宗密令太史伺望之。言其临至，辄有双凫从东南飞来。于是候凫至，举罗张之，但得一只舃[1]。乃诏尚方诊视，则四年中所赐尚书官属履也。每当朝时，叶门下鼓不击自鸣，闻于京师。后天下玉棺于堂前，吏民推排，终不摇动。乔曰：天帝独欲召我耶？乃沐浴服饰寝其中。盖便立覆。宿昔，葬于城东，土自成坟。其夕，县中牛皆流汗喘乏，而人无知者。百姓为立庙，号叶君祠。牧守每班录，皆先谒拜之。吏民祈祷，无不如应；若有违犯，亦立能为祟。帝乃迎取其鼓，置都亭下，略无复声焉。或云：即古仙人王乔也。是以干氏书之于神化。

【注释】

①舃（xì）：同"舄"，鞋子。

【译文】

据《春秋》记载：昭公十五年，将许迁移到叶（这里的叶指的就是叶县）。当时楚国的国力十分强盛，周王室不断走向衰弱，于是楚国不仅在南方当着霸主，还想统治中原地区，所以特地将许多城楼修建在北方，想要借此来逼迫华夏，所以将这座城取名为万城，“万”字也有写作“方”字。唐勒曾在《奏土论》中说道：我们作为楚国的后人，一直都是南方霸主，无论是越还是叶，我国幅员辽阔，所以将其称为万城。《春秋》有言，屈完在召陵时，对齐侯说道：楚国将方城当作国家最主要的城。而杜预却说：方城其实是一座山的名字，这座山就坐落在叶县的南面。无从考证谁说的才是对的。据传，这座城曾经被楚惠王封给诸梁沈子高，并且他被称为叶公。叶县的旧城区也属于他的封地。叶公非常喜欢龙，所以神龙（感其精诚）为此下凡。当时担任叶县县令的是河东王乔，他每月十五，会亲自前往帝京朝拜君主，君主觉得十分奇怪，因为他虽然常来，却从未见过他的车马，于是皇帝便派身边的太史监视他。结果太史告诉皇帝，原来他每次快到达目的地时，就会从东南方向飞来一对野鸭，但是每每等到野鸭快抵达地面人们想要捕捉它们时，却往往扑了一场空，只能抓住一只鞋子。于是皇帝命人细致搜查，却发现原来这只鞋子四年前就被赏赐给了尚书属吏。而当他每一次朝拜皇帝时，叶县衙门下有一只大鼓，就会自己响起来，然而并没有任何人击打它，声音却能够让整个京城全部听见。在这之后，从天上掉下一副玉制棺材，人们用尽全力推，那具棺材却纹丝不动。于是王乔说道：也许是天帝想要单独召见我吧？于是他沐浴更衣睡进棺材里，刚躺进去棺材盖就盖上了。刚盖上没有多久，他就被埋葬在城的东面，土地上自动形成了一块墓穴。当天晚上，整个县城里的牛全部疲乏无力，不停流汗喘气，却无人知道这是为何。于是，老百姓后来专门为他建立了一座庙，取名为叶君祠。每次有人要升官，都会事先到祠里祭拜。官民前来许愿，没有一个是不圆满实现的，如果有违背自己当初愿念的人，也会得到惩治。皇帝派人将那面鼓带走，安置在都亭下方，从此不再像以前一样发出声音。也有人猜测：这也许就是古代仙人王乔的化身，这件事也被记载到《搜神记·神化篇》里。

【原文】

汝水又东南，径新蔡县故城南。昔管、蔡间王室，放蔡叔而迁之。其子胡，能率德易行，周公举之为卿士，以见于王。王命之以蔡，申吕地也，以奉叔度祀，是为蔡仲矣。宋忠曰：故名其地为新蔡。王莽所谓新迁者也。世祖建武二十八年，封吴国为侯国。《汝南先贤传》曰：新蔡郑敬，字次都，为郡功曹。都尉高懿厅事前有槐树，白露类甘露者。懿问掾属，皆言是甘露。敬独曰：明府政未能致甘露，但树汁耳。懿不悦，托疾而去。

【译文】

汝水又往东南方向流去，会经过新蔡县旧城区南面。管、蔡二国曾经想要离间周王室，于是放逐了蔡叔，放逐后就迁移到了此处。他的儿子胡，用自己的德行为人表率乃至改变社会风气，所以周公推举他为卿士，并且带他前去朝见成王，成王将申吕地封给他，并命名为蔡。负责管理关于叔度的祭祀活动，人称蔡仲。宋忠曾说：将此地取名为新蔡，也是因为这件事情。这和王莽所说的新迁是同一个地方。建武二十八年，新蔡被世祖封给了吴国作侯国。《汝南先贤传》中记载：新蔡郑敬，字次都，驻守此地，有功于曹。在都尉高懿的官署厅门前长着一棵槐树，树上渗出如同甘露般的白色露滴。高懿询问他的下属，下属们都认为这白色露滴是甘露。但是只有郑敬一人说道：您在政治上的功劳还不足以让上天为您降下甘露，这白色露滴只是树汁而已。高懿听了这话感到非常不开心，便以身体不舒服为理由先行离开了。

【原文】

《史记》曰：秦将李信攻平舆，败之者也。建武三十年，世祖封铫统为侯国。本妆南郡治。昔费长房为市吏，见王壶公，悬壶郡市；长房从之，因而自远，同入此壶，隐沦仙路，骨谢怀灵，无会而返。虽能役使鬼神，而终同物化。

【译文】

《史记》记载：秦曾经派李信攻打平舆，守军被一一击败。建武三十年，这个地方被世祖封给铫统作侯国。但是这里应该是汝南郡的治所，费长房担任市吏时，遇见王壶公，发现王壶公正在将一个壶挂在郡里市场上，费长房一直紧紧跟着他，从远处一直跟着走，结果（竟然）一起走进了那个壶中，在这之后，他就开始隐藏起来专心修行，学习仙道，最终脱去凡胎，拥有仙人灵性，但是没有完整地学完就提前回到了凡世。所以他虽然能召唤驱使鬼神，但最终（不能同神仙化境一般长生，只能）如凡人一般死去。

## 卷二十二　颍水、洧水、渠（沙）水

【原文】

县，汉武帝置，以奉太室山，俗谓之崧阳城。及春夏雨泛，水自山顶迭相灌澍[①]，崿[②]流相承，为二十八浦也。旸旱辍津[③]，而石潭不耗，道路游憩者，惟得餐饮而已，无敢澡盥其中，苟不如法，必数日不豫，是以行者惮之。山下大潭，周数里，而清深肃洁。水中有立石，高十余丈，广二十许步，上甚平整。缁素[④]之士，多泛舟升陟，取畅幽情。

【注释】

①灌澍（shù）：灌注。澍，通“注”。②崿：本义为山石形状如大嘴般张开。③旸（yáng）旱辍津：久旱而无雨，则水流中断。旸，晴天。旱，干旱。辍，中途停止。津，渡水之地。④缁（zī）素：指僧人。因僧徒衣缁，俗众服素而得名。

【译文】

汉武帝为了供奉太室山而设置了金高县，民间又将它称为崧阳城。一到春夏，雨水泛滥，水从山顶上往下流，形成无数条山泉瀑布，落下来的水和底下的溪水相融，二十八浦就是这样形成的。久晴不雨而旱，水就会断流，但是下面石潭里的水不会耗干，途经此处的游人会停在这里休息，却只敢在这里喝一点就餐用的水，没有人敢在水里沐浴洗手，假如有人不按规矩来做，接下来的好几天都会过得十分不安，所以每一个来这里的人都对这个水潭心存敬畏。山脚底下还有一个非常巨大的水潭，在它周围数十里的地方，水流十分清澈明亮。水里立着一块石头，高十多丈，宽将近二十多步，石头的顶端十分平整。有修行的僧人常常来这里划船，在石头（平台）上陶冶情操，畅叙幽情。

【原文】

汉济北戴封，字平仲，为西华令，遇天旱，慨治功无感，乃积柴坐其上以自焚，火起而大雨暴至，远近叹服。永元十二年，征太常焉。

【译文】

汉朝济北有一个名叫戴封的人，字平仲，在西华县担任县令一职，有一年，碰上了旱灾，他感叹这都是因为自己在政绩上庸庸碌碌，所以无法打动上天，于是他堆起一堆木柴，坐在木柴上面想要引火自焚，结果大火刚一烧起来，天上就开始下起大暴雨，这件事让远近的人都纷纷感叹。永元十二年，朝廷让其担任太常一职。

【原文】

谷水迳小城北，又东迳魏豫州刺史贾逵祠北。王隐言，祠在城北，非也。庙在小城东。昔王凌为宣王司马懿所执，届庙而叹曰：贾梁道[①]，王凌[②]魏之忠臣，惟汝有灵知之。遂仰鸩而死。

【注释】

①贾梁道：贾逵，字梁道，本名衢，河东襄陵人（今山西临汾东南）。曹魏名臣、将领。②王凌：字彦云，太原祁（今山西祁县）人。曹魏将领。

【译文】

谷水经过小城北边，再向东流会经过魏豫州刺史贾建的祠堂北面。王隐曾说：这座祠堂应该在小城北面。但这样的说法其实是错误的。这座祠堂应该处于小城的东面。王凌曾经被宣王司马懿擒获，后来就来到这个祠堂并感叹：贾梁道和王凌都是魏最忠心的臣子，唯有你们的英灵才能明白我的心志。说完后就喝下毒酒自杀身亡。

【原文】

东南流，迳汉弘农太守张伯雅墓，茔域四周，垒石为垣，隅[①]阿相降，别于绥水阴。庚门表二石阙[②]，夹对石兽于阙下。冢前有石庙，列植三碑。碑云：德字伯雅，河南密人也。碑侧树两石人，有数石柱及诸石兽矣。旧引绥水南入茔[③]域，而为池沼。沼在丑地[④]，皆蟾蜍吐水，石隍承溜。池之南，又建石楼。石庙前又翼列诸兽。但物谢时沦，凋毁殆尽。夫富而非义，比之浮云，况复此乎？王孙[⑤]、士安[⑥]，斯为达矣。

【注释】

①隅（yú）：角落。②石阙：石筑的阙。多立于宫庙陵墓之前，作铭记官爵、功绩或装饰用。③茔（yíng）：坟墓，坟地。④丑地：指东北偏北方位。⑤王孙：杨王孙，西汉道家，无神论者。及病且终，令其子曰："吾欲裸葬，以返吾真，必无改吾意。死，则以布袋盛尸，入地七尺；既下，从足部引脱布袋，以身亲土。"⑥士安：三国西晋时期著名医学家皇甫谧（mì），字士安，自号玄晏先生。皇甫谧在《笃终论》中写下了他对于丧葬的看法，希望自己的葬礼一切从简，无须整理仪容和沐浴，只用粗席包裹尸体埋入地里。

【译文】

水流往东南方向流去，会经过汉代时所留下的弘农太守张伯雅的墓穴，墓穴周围的围墙护栏都是用石头建成的，沿着山坡角落一路铺建而下，最终到达绥水南边的庚门。有两座石阙坐落在墓穴西面的门前，在这石阙的两旁建造了两只石兽，墓穴的正前方是一座石庙，寺庙前并排立着三块石碑。碑上刻着：张德，字伯雅，河南密县人。石碑的旁边还有两座石人，以及一些石柱和石兽。很久之前绥水从南面流进墓穴之中，因为长期积蓄，所以水流又积成了一个水池，这个水池处于墓穴的东北面，里面全是吐水的蛤蟆石雕，吐出的水又会重新流进水池当中。水池的南面是一座石楼。石庙的门前和两侧如羽翼般耸立着石兽。但时间流逝、朝代更迭，万物衰败，这里的东西也大多被风残蚀。不义之财，转眼成空，如浮云一般，何况是这些用石头做的东西呢？但是无论是王孙裸葬，还是皇甫谧拿席子包裹尸体，都是不一般的豁达。

【原文】

洧水又东南径郐城南，《世本》曰：陆终娶于鬼方氏之妹，谓之女隤，是生六子，孕三年，启其左胁，三人出焉；破其右胁，三人出焉。其四曰莱，言是为郐人。郐人者，郑是也。郑桓公问于史伯，曰：王室多难，予安逃死乎？史伯曰：虢、郐，公之民，迁之可也。郑氏东迁，虢、郐献十邑焉。

【译文】

洧水从东南方向流去，经过郐城的南面，《世本》中记载：陆终的妻子是鬼方氏的妹妹，名字叫作女馈，女馈一共生了六个孩子，怀孕了整整三年，有三个孩子从左腋下生出，另外三个孩子从右腋生出。其中排行第四的那个孩子名字叫作莱言，据传他就是郐人的祖先，而郐人所在的地方就是现在的郑。郑桓公曾经向史伯问道：如今王室多灾多难，又有什么平安之处能够让我逃亡安身呢？史伯回答道：您的子民们都在虢、郐两地，迁移的话，这里最好。于是郑氏往东边迁移，虢、郐分别献上了十座城池。

【原文】

洧水又东为洧渊水。《春秋传》曰：龙斗于时门之外洧渊，即此潭也。今洧水自郑城西北入，而东南流，径郑城南。城之南门内，旧外蛇与内蛇斗，内蛇死。六年，大夫傅瑕杀郑子，纳厉公，是其征也。水南有郑庄公望母台。庄姜恶公寤生，与段京居。段不弟，姜氏无训。庄公居夫人于城颍。誓曰：不及黄泉，无相见也、故成台以望母，用伸在心之思。感考叔之言，忻大隧之赋，泄泄之慈有嘉，融融之孝得常矣。

【译文】

洧水往东边流去的那条支流名字叫作洧渊水。《春秋传》曾记载：曾经有龙在时门之外洧水的水潭边决斗，此处就是书中所记载的那个水潭。如今的洧水从西北方向沿郑城流入，向东南方向流去的话，就会经过郑城的南面。郑城南面的城门内，曾经有城外蛇和城内蛇相斗，城内蛇失败死去。六年，大夫傅瑕因为杀郑子有功，而被厉公所接纳，两蛇之斗正是这件事情的征兆。洧水南面坐落着郑庄公的望母台。相传因为庄姜在生庄公的时候难产，遭受了很多痛苦，于是很讨厌庄公。所以她便与（小儿子）段一起居住在京城里。但是段对兄长从来不恭敬，庄姜却从不管教批评。（后来段造反失败，）姜氏被庄公送到城颍居住，并且许下誓言：不入黄泉之道，绝不会再与她相见。所以建筑了一个看台，用来看望母亲，以传达内心的思母之情。后来颍考叔（劝庄公在地下修一条通道，地下之路即黄泉之路，这样的话，庄公并不违背当初的誓言又可以与母亲相见），庄公被他说的话打动，终于和母亲在地下通道中重逢，重归于好后，母慈子孝，和乐融融，传为佳话。

【原文】

洧水又东，屈迳其城北。《竹书纪年》：梁惠成王十七年，郑厘侯来朝中阳者也。其水东北流，为白沟，又东北迳伯禽城北，盖伯禽之鲁，往迳所由也。屈而南流，东注于清水，即潘岳《都乡碑》所谓自中牟故县以西，西至于清沟。指是水也。乱流东迳中牟宰鲁恭祠南。汉和帝时，右扶风鲁恭，字仲康，以太尉掾迁中牟令。政专德化，不任刑罚，吏民敬信，蝗不入境。河南尹袁安疑不实，使部掾肥亲按行之。恭随亲行阡陌，坐桑树下，雉①止其旁。有小儿，亲曰：儿何不击雉？曰：将雏②。亲起曰：虫不入境，一异；化及鸟兽，二异；竖子怀仁，三异。久留非优贤，请还。是年，嘉禾生县庭。安美其治，以状上之。征博士、侍中。车驾每出恭常陪乘。上顾问民政，无所隐讳。故能遗爱自古，祠享来今矣。

【注释】

①雉：俗称“野鸡”，体型如鸡一般，毛色五彩斑斓。②雏：幼小的鸟。

【译文】

洧水往东边流去，转弯时经过中阳城的北面。《竹书纪年》记载：梁惠成王十七年，郑釐侯来到中阳城朝拜。（洧水）往东北方向流去变成白沟水，白沟水往东北流去，会经过伯禽城北面，此城正是伯禽当年前往鲁地时的必经之路。白沟水再拐弯，向南流，从东面和清水相交汇。潘岳《都乡碑》里写道，往中牟的旧地址向西流会到达清沟，指的就是这一条水流。清沟水的流向不确定，但是向东流的时候会经过鲁恭祠的南边，鲁恭曾经是中牟县的县令。在汉和帝时期，右扶风鲁恭，字仲康，担任中牟县令之前是一名太尉掾，他政务专注，以德化治地，从不滥用刑罚，官民都对他敬佩信服，就连蝗虫也不进入县城之内（糟蹋粮食）。河南地区的官员尹袁安认为这些传言有不实之处，于是派自己的部下肥亲前去考察，于是鲁恭随行相陪，两人行至田间（考察农事），然后来到一棵桑树下休息，这时，有一只野鸡站在一旁的不远处。旁边有一个小孩子，肥亲就问那个孩子：你为什么不去抓这只野鸡呢？小孩回答道：它还要喂养许多幼小的鸡呢。肥亲站起来说道：连蝗虫都不进入县城里，奇事之一；道德的教育连鸟儿野兽都有涉及，奇事之二；就连不懂事的孩子也心怀仁爱，奇事之三。您既然是这样的贤士，我就不需要久留了，所以就此告别。同年，县令的居所突然长出一棵禾苗，袁安十分赏识他的政绩，就将此事上达天听，皇帝于是封鲁恭为博士、侍中。每一次皇帝要驾车出门时，鲁恭都会随行，每当皇帝提及百姓的民生和政治问题时，他从不遮掩。所以他名传千古，受百姓敬爱，百姓还为他专门建立了一个祠堂，香火从未中断。

【原文】

《陈留志》称：阮简，字茂弘，为开封令。县侧有劫贼，外白甚急数，简方围棋长啸。吏云：劫急。简曰：局上有劫亦甚急。其耽乐如是。故《语林》曰：王中郎以围棋为“坐隐”，或亦谓之为手谈，又谓之为棋圣。

【译文】

《陈留志》记载：阮简，字茂宏，担任开封县县令。县城的一旁，有盗贼抢劫，外面传来紧急消息，阮简一边长啸一边下围棋。县吏向他报告：外面情况十分危急。阮简却回答：我的棋局也碰到了困难，这也十分紧急。他竟然沉迷棋乐到这种地步！所以《语林》说道：围棋被王中郎称为“坐隐”，或者称为“手谈”，他也被称为棋圣。

【原文】

《晋阳秋》称：晋太傅东海王越之东奔也，石勒追之，焚尸于此，数十万众，敛手受害。勒纵骑围射，尸积如山。王夷甫死焉。余谓俊者所以智胜群情，辨者所以文身祛惑，夷甫虽体荷俊令，口擅雌黄，污辱君亲，获罪羯勒，史官方之华、王，谅为褒矣。

【译文】

《晋阳秋》记载：晋朝太傅东海王越曾经往东边逃跑，而遭到石勒的追击，他被杀害后尸体在这里被焚烧毁灭。（王越）数十万下属，都被困在此处，无力反抗，石勒骑马率兵围困并射击他们，尸体堆积，高如大山。王夷甫去世的地方也在这里。我认为，贤士凭智慧区别于普通人，善辩者用口才文字解惑，虽然王夷甫是一个有智慧的才俊，但是他善于信口雌黄，污蔑自己的君主和亲王，所以被羯勒定罪，记载史料的官员将他与华欲、王朗相提并论，还是有些过于褒义了。

## 卷二十三　阴沟水、汳水

【原文】

《左传》曰：华元杀羊食士，不及其御。将战，羊斟曰：畴昔之羊子为政。今日之事，我为政。遂御入郑，故见获焉。后其地为楚庄所并。故圈称曰：大棘，楚地，有楚太子建之坟及伍员钓台、池沼具存。

【译文】

《左传》记载：华元带兵出征之前，杀羊慰劳士兵们，却唯独驾车人没有分到羊肉。战争快要开始时，驾车人羊斟对华元说：之前羊肉分配的事情，由您决定。今天发生的事情，由我掌控。接着驾车人驾车前去投奔郑国的军队，于是华元被俘获。后来，这片领土被楚庄王攻占。因此，圈称说道：大棘这个地方，是楚国的领土，因为里面有楚太子所建造的陵墓，也有如今保存良好的伍员钓台与池塘。

【原文】

城东有曹太祖旧宅所在，负郭对廛①，侧隍临水。《魏书》曰：太祖作议郎，告疾归乡里，筑室城外，春夏习读书传，秋冬射猎以自娱乐。文帝以汉中平四年生于此，上有青云如车盖，终日乃解。即是处也。后文帝以延康元年幸谯，大飨父老，立坛于故宅。坛前树碑，碑题云：大飨之碑。

【注释】

①廛（chán）：古代城市平民的房地。

【译文】

曹家太祖的故居地处城东，居室背面是一片城墙，正面是民居，旁边是临水而建的城壕。《魏书》记载：太祖曾经任职议郎，后来因病辞官，告老还乡，于是在城外建造居室，春夏时节阅读诗经传书，秋冬时分，就去射箭捕猎，自娱自乐。汉中平四年，文帝在此出生，据说当时天上出现像车盖一样的青色云朵，晚上才慢慢消散，这里指的就是此处。后来，延康元年时，文帝驾临此处，大摆筵席，以美食美酒招待父老乡亲，还在自己的老宅里建了一座祭坛，祭坛前立了一块碑，碑上题名为：大飨之碑。

【原文】

汳水东迳仓垣城南，即浚仪县之仓垣亭也。城临汳水，陈留①相毕邈治此。征东将军荀晞②之西也，邈走归京，晞使司马东莱王谠代据仓垣，断留运漕。汳水又东迳陈留县之鉼乡亭北。《陈留风俗传》所谓县有鉼乡亭，即斯亭也。汳水又迳小黄县故城南。《神仙传》称灵寿光，扶风人，死于江陵胡罔家，罔殡埋之。后百余日，人有见光于此县，寄书与罔。罔发视之，惟有履存。

【注释】

①陈留：曹操起兵之地，今河南省开封市陈留镇。②荀晞：西晋末年名将，字道将，河内山阳（今河南焦作市修武县）人。

【译文】

汳水向东流，经过仓垣城南面，这里就是浚仪县的仓垣亭。这座城市靠近汳水，正是陈留宰相毕邈的管治之处。当时征东将军荀晞往西面方向前进，毕邀逃到京城，于是荀晞让司马东莱王讚代驻守在仓垣城，（将其作为军事根据地，）阻断陈留水上运输线路。汳水往东面流去，经过陈留县鉼乡亭的北面。《陈留风俗传》中所说陈留县有个鉼乡亭，说的就是这一个亭。汳水还会流经小黄县旧城南面，《神仙传》中说：有一个扶风人，名叫灵寿光，在江陵的胡罔家去世，他去世以后，胡罔将其安葬，过去一百多天后，有人看见灵寿光出现在小黄县，于是（这个人）马上写信告诉胡罔。胡罔听说以后，把灵寿光的坟墓挖开，一看，里面已经没有人，只剩下一双鞋子。

【原文】

汳水又东迳葛城北，故葛伯之国也。孟子曰：葛伯不祀。汤问曰：何为不祀？称：无以供祠祭。遗葛伯。葛伯又不祀。汤又问之，曰：无以供牺牲。汤又遗之，又不祀。汤又问之，曰：无以供粢[1]盛。汤使亳众往，为之耕，老弱馈食。葛伯又率民夺之，不授者则杀之。汤乃伐葛。

【注释】

①粢（zī）：泛指谷物。

【译文】

汳水东流，经过葛城北面，在过去，葛城是葛伯的封国。孟子说：葛伯从来不祭祀。汤问葛伯说：你为何不祭祀呢？葛伯回答：因为我没有祭祀用的供品。于是汤就给葛伯送去了供品，可是葛伯仍旧不祭祀。汤又去问葛伯。葛伯回答道：因为我没有牛羊可以宰杀。于是汤又给葛伯送去牛羊，葛伯依旧不祭祀。汤又询问葛伯。葛伯回答：（虽然有了供品和牛羊，）却没有祭祀所需的谷物。于是这次汤将亳的民众派去为葛伯耕种，给老弱病残的人食物。可是葛伯带人抢夺那些粮食，并把不肯给的人杀掉。汤这才发动战争讨伐葛城。

【原文】

今城内有古冢方坟，疑即社元凯之所谓汤冢者也。而世谓之王子乔冢。冢侧有碑，题云：仙人王子乔。碑曰：王子乔者，盖上世之真人，闻其仙，不知兴何代也。博问道家，或言颍川，或言产蒙，初建此城，则有斯丘。传承先民曰：王氏墓暨于永和之元年冬十二月，当腊之时。夜，上有哭声，其音甚哀。附居者王伯怪之，明则祭而察焉。时天鸿雪下，无人径，有大鸟迹在祭祀处，左右咸以为神。其后有人著大冠，绛单衣，杖竹，立冢前，呼采薪孺子伊永昌，曰：我王子乔也，勿得取吾坟上树也。忽然不见。时令泰山万熹，稽故老之言，感精瑞之应，乃造灵庙，以休厥神。于是好道之俦，自远方集，或弦琴以歌太一，以覃[①]思以历丹丘，知至德之宅兆，实真人之祖先。延熹八年秋八月，皇帝遣使者奉牺牲致礼，祠濯之敬，肃如也。国相东莱王璋，字伯仪，以为神圣所兴，必有铭表，乃与长史边乾遂树之立石，纪颂遗烈。

【注释】

①覃（tán）：深广。

【译文】

现在城中心有一座正方形古墓，这也许就是杜元凯所提到的汤墓。但是世人大多将其称为王子乔墓。在墓侧有一块碑，碑上题名：《仙人王子乔碑》。碑上刻着：王子乔，上古时代修道的真人，据说修道成了神仙，但是不知道他出生年月。询问许多道人，有的说他出生地是颍川，有的说是蒙，在建造这座城市时，就已经坐落着这座墓穴。先民相传：这座王氏墓建立在永和元年冬十二月，正是腊月众人祭祖的时候。深夜，坟墓上传来哭泣声，听起来非常凄惨。住在不远处的王伯觉得奇怪，天亮以后，借着祭祀顺便查看了一番。当时天空下着鹅毛大雪，无人路过，祭祀处只有大鸟的印迹，周围的人们都认为这是神明的印迹。之后，有人曾戴着一顶巨帽，身着红色衣袍，手拿竹竿，站在坟墓前，对前来砍柴的小孩伊永昌说道：我是王子乔，千万不要把我坟墓上的树枝砍了。（说完之后）一眨眼便消失不见。当时县令是泰山万熹，于是他根据老人留下的传闻，认为这是神明出现的征兆，于是派人建造了灵庙，以便神明安息。于是，许多修道人士集结在此处，要么弹琴赞美太一，要么凭借深广的思绪，感受丹丘仙人，由此让人知道这是贤人墓穴的征兆，（墓穴）里面正是修道真人的鼻祖。延熹八年的秋天，八月，皇帝特地派使者来此处祭祀，用牛羊表达敬意，整个仪式十分盛大庄重。有宰相名为东莱王璋，字伯仪，他认为作为真人祖先的墓穴，必须铭刻碑文，于是与长史边乾遂一起建了一块碑，纪念和歌颂真人。

【原文】

山有梁孝王墓，其冢，斩山作郭，穿石为藏。行一里，到藏中，有数尺水，水有大鲤鱼。黎民谓藏有神，不敢犯神。凡到藏，皆洁斋而进，不斋者至藏，辄有兽噬其足，兽难得见，见者云似狗，所未详也。

【译文】

（砀）山上建的是梁孝王墓。这座坟墓，将整座山凿开做墓室，用石头做墓穴。行走一里路后，到达墓穴里面，（墓穴）里面有数尺深的水坑，水里有巨大的鲤鱼。民众传言这里藏着神明，都不敢忤逆触犯。任何想要进入到墓穴里的人，都必须沐浴洗澡，吃斋念佛，不然野兽就会噬咬他的足部。这个野兽鲜有人见到，见过的人都说看起来像狗，但也不知道事实究竟如何。

【原文】

赵人有琴高者，以善鼓琴，为康王舍人，行彭涓之术，浮游砀郡间二百余年，后入砀水中，取龙子，与弟子期曰：皆洁斋待于水旁，设屋祠。果乘赤鲤鱼出，刀坐祠中。砀中有可万人观之，留月余，复入水也。

【译文】

赵国有一个名叫琴高的人，凭借着鼓琴的技能，成了康王的门客，他能够使用彭祖、涓子等仙人使用的法术，于是两百多年里，他都在砀郡漫游，后来潜入砀水中欲捉取龙子，于是与弟子们约定：弟子们斋戒沐浴后，都在水旁等待，并且建立祭祀的屋子，后来他果然坐在红色的鲤鱼身上露出水面，人却坐在祭祀的屋子之中，砀郡有数万个民众前来围观，琴高逗留数月以后，又重新进入水中。

【原文】

城之东北角，起层楼于其上，号曰彭祖楼。《地理志》曰：彭城县，古彭祖国也。《世本》曰：陆终之子，其三曰篯①，是为彭祖。彭祖，城是也。下曰彭祖冢。彭祖长年八百，绵寿永世，于此有冢，盖亦元极之化矣。

【注释】

①篯（jiǎn）：此处为人名。

【译文】

在（金城旁的小城）东北角上，建立了一座楼，叫作彭祖楼。《地理志》上记载：彭城县就是过去彭祖的封地。《世本》记载：陆终的儿子中，第三个名叫篯，这个篯就是我们所说的彭祖。而彭祖这个名字的来历，正是因为彭祖城。彭祖楼的下面便是彭祖墓。彭祖一生一共活了八百多岁，在世间属于非常长寿的人了，而为什么在这里会有彭祖的墓穴，也是因为万物极盛终有归化之时。

## 卷二十四　睢水、瓠子河、汶水

【原文】

文帝十二年，封少子武为梁王，太后之爱子、景帝宠弟也。是以警卫貂侍①，饰同天子，藏珍积宝，多拟京师，招延豪杰，士咸归之，长卿之徒，免官来游。广睢阳城七十里，大治宫观，台苑，屏榭，势并皇居，其所经构也。役夫流唱，必曰《睢阳曲》，创传由此始也。城西门即寇先鼓琴处也。先好钓，居睢水旁。宋景公问道，不告，杀之。后十年，止此门，鼓琴而去。宋人家家奉事之。

【注释】

①貂侍：指宫中近侍，因冠饰貂尾而得名。

【译文】

汉文帝十二年，（汉文帝）将小儿子刘武封为梁王。刘武是太后最宠爱的孩子，也是景帝最器重的弟弟。梁王的身边不仅有护卫和貂侍，就连衣着打扮都和天子一模一样，他收藏的奇珍异宝，多至可以媲美京师，他广纳贤才，招收天下英雄名士，有才能的人都愿意顺从于他，就连像司马长卿一样有名的人，也辞官投奔他。梁王还将唯阳城向四周扩大七十多里，花费大量时间金钱，修葺宫内的建筑景观，修建花园亭台，城内气势恢宏得就像皇宫一样。修建土木的工匠们必定吟唱的《睢阳曲》，创始处就是这里。寇先曾在这座城西面的大门处弹琴。寇先爱好垂钓，所以他定居在睢水附近的岸边。宋景公向他求道时，他不愿意告诉（宋景公），于是被杀害。十年之后，他（的魂灵）再次停留在这个门前，弹奏了一曲以后才离去。宋国几乎人人家里都供奉着他。

【原文】

城北五六里，便得汉太尉桥玄墓，冢东有庙，即曹氏孟德亲酹[①]处。操本微素，尝候于玄。玄曰：天下将乱，能安之者，其在君乎？操感知己，后经玄墓，祭云：操以顽质，见纳君子，士死知己，怀此无忘。又承约言，徂没之后，路有经由，不以斗酒只鸡，过相沃酹，车过三步，腹痛勿怨！虽临时戏言，非至亲笃好，胡肯为此辞哉？凄怆致祭，以申宿怀。冢列数碑，一是汉朝群儒、英才、哲士，感桥氏德行之美，乃共刊石立碑，以示后世。一碑是故吏司徒博陵崔列、廷尉河南吴整等，以为至德在己，扬之由人，苟不皦述，夫何考焉？乃共勒嘉石，昭明芳烈。

【注释】

①酹：把酒洒在地上，表示祭奠或起誓。

【译文】

在（安梁）城的北面五六里的地方，就是汉朝太尉桥玄的墓穴，墓穴的东面有一座庙宇，就是曹孟德曾经洒酒祭拜之处。曹操出身十分卑微，曾经是桥玄下属的一个小人物，可是桥玄却对他说：这个天下必定要发生一场大动乱，能够使它安定下来的人，大概只有您了！曹操一直感激知己的扶持之恩，所以经过桥玄墓穴时，（曹操写下祭文）祭奠他，祭文中写道：我本质顽固愚笨，却被您赏识扶持，人言士为知己者死，关怀之恩此生不忘。你我相约有言在先，若待尊驾仙逝归天，我路过您安息之处，若不以酒鸡祭奠，车驾前行不过三步，违约之人勿怨肚痛。虽则一时玩笑戏言，若非至亲好友，怎会许下如斯承诺？祭奠之时满怀悲切，申扬素日怀念。墓前数碑排列，其中之一为汉朝贤士们敬仰桥玄品格，于是一同刻碑纪念桥玄。还有一块为桥玄曾经的属下司徒博陵人崔列、廷尉河南人吴整等所筑，因为在他们看来，品德修养在个人，可美德传播却是别人，若德行不被记录流传，（那么高尚的品德）又有什么意义呢？于是他们一起为桥玄筑造了一块石碑，来见证和传承他的美好品德。

【原文】

睢水又东，迳临淮郡之取虑县故城北。昔汝南步游张少失其母，及为县令，遇母于此，乃使良马踟蹰，轻轩罔进，顾访病姬，乃其母也。诚愿宿凭，而冥感昭征矣。

【译文】

睢水往东面流去，经过临淮郡取虑县老城区的北面，曾经，汝南郡步游张在少年时期与母亲走散分开，后来他当了县令，并且在这里重逢了自己的母亲。当时他正驾驶马车经过这里，好端端地马突然停下，不肯再往前走，于是他赶忙下马车，询问路边生病的老太太，发现那正是他（失散多年的）母亲。因为平日他就时常诚心思念母亲，所以这一次，他才能在冥冥之中感觉到强烈的命运征兆。

【原文】

暨汉武帝元光三年，河水南泆，漂害民居。元封二年，上使汲仁、郭昌发卒数万人，塞瓠子[①]决河。于是。上自万里沙还，临决河，沉白马、玉璧，令群臣将军以下，皆负薪填决河。上悼功之不成，乃作歌曰：瓠子决兮将奈何？浩浩洋洋，虑殚为河，殚为河兮地不宁，功无已时兮吾山平。吾山平兮巨野溢，鱼沸郁兮柏冬日。正道弛兮离常流，蛟龙骋兮放远游。归旧川兮神哉沛，不封禅兮安知外！皇谓河公兮何不仁，泛滥不止兮愁吾人！

【注释】

①瓠（hù）子：瓠子河，我国历史上著名的河流，历史上中华大地唯一的一条以瓠子命名的河流。

【译文】

汉武帝元光三年，河水向南边漫延，淹毁了民众的房屋。元封二年，武帝派汲仁、郭昌发两人带领数万士兵，堵住瓠子河的决口。武帝从万里沙赶来，亲自来到决河，把白马、玉璧投入水中，并且号令所有将士背上大捆的木柴，堵住决口。（可是仍然没有成功，）武帝见到此景，不禁悲从中来，作了歌谣唱道：瓠子河决口了，我又能拿它怎么办呢？河间波浪滚滚而来，却怕这河水将大地全部淹没，人民再无安宁，河流的整治什么时候才是个尽头，就连我的山脉也要被夷为平地！若是我的山脉真成了平地，那么这偌大的土地田野里，全是洪流，鱼儿们不安地在水里挣扎，水和天马上就要连为一体！河流已经脱离轨道，水流再没有了方向，肆意的蛟龙四处游荡，带有神明旨意的水流啊，请您早日回到原本的方向！不亲自祭祀上天，要如何知道内外的情况！河神大人您为何如此残忍，河水泛滥不停使我们忧愁至死！

【原文】

马第伯书云：光武封泰山，第伯从登山，去平地二十里，南向极望，无不睹；其为高也，如视浮云；其峻也，石壁窅窱[①]，如无道径。遥望其人，或为白石，或雪，久之，白者移过，乃知是人。仰视岩石松树，郁郁苍苍，如在云中；俯视溪谷，碌碌不可见丈尺。直上七里天门，仰视天门，如从穴中视天矣。

【注释】

①窅窱（yǎo tiǎo）：幽深、深远的样子。

【译文】

《马第伯书》写道：光武帝在泰山祭祀的时候，马第伯也跟着一起来到山上。在离地面二十里左右的地方，向南面远眺，就可以将山下的景致全部收入眼底。（此时）无不感觉泰山之高，就如同能看见漂浮着的云朵；泰山的地势十分险峻，深渊和峭壁，根本无法寻到道路。从远处看登山的人，有的就像白色石头，有的像皑皑白雪，只要看久一些，看到白色在不断地行动，才发现那其实是人。抬头看，便会看到山顶上的岩石和松树，茂盛壮观，就像是处在云朵之中；向下看便是溪谷，深邃得无法看清楚真正的深度。直到登上七里天门，仰视天门，就像是从洞穴中仰望天空一般。

【原文】

《汉书·宣元六王传》曰：哀帝时，无盐危山土自起，覆草，如驰道状，又瓠山石转立。晋灼曰：《汉注》作报山，山胁石一枚，转侧起立，高九尺六寸，旁行一丈，广四尺。东平王云及后谒，曰：汉世石立，宣帝起之表也。自之石所祭，治石象报山立石，束倍草，并祠之。建平三年，息夫躬告之，王自杀，后谒弃市，国除。

【译文】

《汉书·宣元六王传》记载：哀帝年间，无盐危山上鼓出一块土地，上面有草覆盖，就像驰道的形状一样，瓠山上的岩石也转向不同的方向。晋灼曾经说：《汉书注》里（把瓠山）写成报山，山上有一块巨石，方向转向一边，然后被立起，它高九尺六寸，向旁边挪了一丈，宽四尺。（因为这个，）东平王云和他的王后谒说道：汉朝若是有岩石立起，就征兆着将有新的帝王要取代旧主。于是去这块岩石所在地举行祭祀，制造了一块相似的石头，旁边放了很多草，并建了一个祠堂。建平三年，息夫躬举报揭发（东平王云及其王后），于是东平王自杀，王后谒被砍下头颅挂在外面，封国也被除去。

## 卷二十五　泗水、沂水

【原文】

韦昭云：泗在鲁城北。《史记》《冢记》、王隐《地道记》咸言，葬孔子于鲁城北泗水上。今泗水南有夫子冢。《春秋孔演图》曰：鸟化为书，孔子奉以告天，赤爵衔书上，化为黄玉，刻曰：孔提命，作应法，为赤制。《说题辞》曰：孔子卒，以所受黄玉葬鲁城北，即子贡庐墓处也。谯周云：孔子死后，鲁人就冢次而居者，百有余家，命曰孔里。《孔丛》曰：夫子墓茔方一里，在鲁城北六里泗水上。诸孔氏封五十余所，人名昭穆，不可复识。有铭碑三所，兽碣具存。《皇览》曰：弟子各以四方奇木来植，故多诸异树，不生棘木、刺草，今则无复遗条矣。

【译文】

韦昭说道：泗水地处鲁城的北面。（无论是）《史记》《冢记》，还是王隐的《地道记》，里面都记载，孔子被葬在鲁城北面的泗水上。现如今，泗水的南面还保存着孔子的墓穴。《春秋孔演图》记载：鸟儿变成了书，（于是）孔子用它来向上天祈祷，结果有一只红色的鸟雀衔住此书，书就变成了一块黄色的玉石，上面刻着：孔子将接受上天的任命，制定法规，就是国家的规则制度。《说题辞》记载：孔子离世后，（人们）将那块黄色的玉石当作陪葬，与孔子一起埋葬在鲁城北面，也就是子贡墓穴所在处。谯周说：在孔子死后，定居孔子墓穴附近的鲁国人，有一百多家，所以被叫作孔里。《孔丛》记载：孔子墓穴方圆一里，都处于鲁城北面的泗水河畔。这里有将近五十多座孔氏宗族的坟墓，墓穴主人的人名和辈分已经无从考证。有三所墓铭碑，但是周围的石兽和石碑都保存完好。《皇览》记载：孔子的弟子们，从全国各地带来许多珍贵的树苗，种在孔子的墓穴上，所以孔子墓穴上大多是与众不同的树，而少有荆棘丛和杂草。可是如今，那些珍奇的树木都已不复存在。

【原文】

永平中，钟离意为鲁相，到官，出私钱万三千文，付户曹孔䜣，治夫子车，身入庙，拭几席剑履。男子张伯除堂下草，土中得玉璧七枚，伯怀其一，以六枚白意。意令主簿安置几前。孔子寝堂床首有悬瓮①。意召孔䜣问：何等瓮也？对曰：夫子瓮也，背有丹书，人勿敢发也。意曰：夫子圣人，所以遗瓮，欲以悬示后贤耳。发之，中得素书。文曰：后世修吾书，董仲舒。护吾车，拭吾履，发吾笥②，会稽钟离意。璧有七，张伯藏其一。意即召问伯，果服焉。

【注释】

①瓮：一种盛水或酒的陶器。②笥（sì）：一种方形竹器，用来盛饭或装衣物。

【译文】

永平年间，钟离意担任鲁国宰相，上任时，他拿出了一万三千文的积蓄，将其支付给户曹孔䜣，（要求他）将孔子乘坐的车整理一番，并且亲自进入寺庙，一一整理擦拭孔子的席子，佩剑和鞋子等（旧物）。男子张伯清理院子里的杂草时，在地里找到了七枚玉璧，他藏起了其中的一枚，拿了其他六枚玉石交给钟离意。钟离意让主簿把玉石放在桌子上。孔子卧室床上悬挂了一只瓮。钟离意问孔䜣：这个瓮是用来干什么的呢？孔䜣回答：这是孔夫子所使用的瓮，瓮的背面用朱砂写了许多红字，所以很多人惧怕，不敢打开。钟离意说道：孔子是圣贤之人，他将这个瓮留下，大概是想为后世贤士们留下一些启发。于是打开此瓮，发现里面只有一块白色绢布，上面写着：未来董仲舒将我的书籍编纂传世；会稽钟离意将我的车好好保护，将我的鞋擦干净，打开这个瓮；我留下的玉璧应该有七枚，其中一枚被张伯私藏。于是钟离意立马将张伯叫来询问，果然玉是被张伯私藏了。

【原文】

瑕丘，鲁邑，《春秋》之负瑕矣。哀公七年，季康子伐邾，囚诸负瑕是也。应劭曰：瑕丘在县西南。昔卫大夫公叔文子升于瑕丘，蘧伯玉[1]从。文子曰：乐哉斯丘！死则我欲葬焉。伯玉曰：吾子乐之，则瑗请前。刺其欲害民良田也。

【注释】

①蘧（qú）伯玉：春秋卫国大夫，原名为蘧瑗（yuàn），字伯玉，谥成子。

【译文】

瑕丘，是鲁国的一座城邑，也是《春秋》中所说的负瑕。哀公七年，季康子攻打邻国，邻国国君被囚禁起来的地方就是负瑕。应劭说过：瑕丘位处县城的西南处。从前卫国大夫公叔文子升职来到瑕丘，蘧伯玉始终跟随着他。文子说：能够在这里生活是一件多么幸福的事情！若是我死去，也希望被埋葬在这里。伯玉说：虽然你死后想将自己葬在这里，但还是让我先安眠此处吧！其实伯玉的这番话，是想讽刺文子拿着平民百姓的田地浪费践踏。

【原文】

《春秋左传》：隐公十一年，滕侯、薛侯来朝，争长。薛侯曰：我先封。滕侯曰：我周之卜正也；薛庶姓也，我不可以后之。公使羽父请薛侯曰：君辱在寡人，周谚有之，曰：山有木，工则度之；宾有礼，主则择之。周之宗盟，异姓为后。寡人若朝于薛，不敢与诸任齿。君若辱贶[1]寡人，则愿以滕君为请。薛侯许之，乃长滕侯者也。汉高祖封夏侯婴为侯国，号曰滕公。邓晨曰：今沛郡公丘也。

【注释】

①贶（kuàng）：赠，赐。

【译文】

《春秋左传》记载，在隐公十一年，滕侯、薛侯一同前来朝拜，结果两人争执地位高低。薛侯说道：我地位应当最高，因为我比你更早封官。滕侯却说：我作为周天子的卜正官，薛氏作为异姓者，所以我的地位不可能在你之下。于是隐公派羽父请来薛侯，说道：感谢你愿意到我这里来，周的民间流传一句俗语：只有工匠才能丈量山上的树木；只有主人才可以挑选客人送来的礼物。周天子在上朝时，将异姓官员排在后面。就如同我前去薛拜见您，也万万不敢同其他人争地位高下。感谢您对我的理解，我想请求您谦让滕侯一下吧。薛侯答应了，让滕侯地位更高。汉高祖将此处赠予夏侯婴为封地，取名侯国，夏侯婴被称为滕公。邓晨说过：如今沛郡的公丘就是当年的滕城。

【原文】

《地理志》，山阳县也，王莽更名之曰告成矣。故世有南部、北部之论也。又东迳单父县故城南，昔宓子贱[1]之治也。孔子使巫马期观政，入其境，见夜渔者，问曰：子得鱼辄放何也？曰：小者，吾大夫欲长育之故也。子闻之曰：诚彼形此，子贱得之，善矣。惜哉！不齐所治者小也。

【注释】

①宓（fú）子贱：鲁国人，为孔子的学生。

【译文】

《地理志》记载：山阳县，王莽将其更名为告成县，在民间，有南部和北部的说法。（泡水）再往东面流去，经过单父县老城区的南面，是宓子贱所管治的范围。有一次，巫马期被孔子派遣到各地视察政务，结果进入了管辖区域，看见一个深夜捕鱼的渔夫便询问：你为何要将捕来的鱼放掉？渔夫回答：因为放走的都是小鱼，我们的大夫规定我们必须捕捞已经长大的鱼。孔子听说后说道：用最大的诚意来治理县城，子贱已经懂得了这样的道理，可惜的是，他所能够管辖的地方对于他来说，实在是太小了（难以弘扬他的才能和胸怀）！

【原文】

《春秋》：昭公十七年，郯子朝鲁，公与之宴。昭子叔孙婼[1]问曰：少昊[2]鸟名官，何也？郯子曰：吾祖也，我知之矣。黄帝、炎帝以云火纪官，太皞以龙纪。少皞瑞凤鸟，统历鸟官之司，议政斯在。孔子从而学焉。既而告人曰：天子失官，学在四夷者也。

【注释】

①叔孙婼（chuò）：叔孙豹之子，春秋时代鲁国政治家、外交家，史称叔孙昭子。②少（shǎo）昊：三皇五帝之一，又称白帝，又作少皞、少皓、少颢，史称金天氏、穷桑氏、云阳氏或朱宣。在汉族神话中被尊为西方上帝。据载其部族以鸟为图腾，其部落里诞生了原始的凤文化，成为汉民族的图腾之一。

【译文】

《春秋》记载：昭公十七年，郯子前去鲁国朝拜，鲁公举行宴席招待他，昭子叔孙婼问他：少昊为什么要用鸟名来作为官名呢？郯子回答说：少昊是我的先人，所以我清楚这件事。黄帝、炎帝曾经用云、火作为官名，而太皞以龙为官名，少昊以有祥瑞之兆的凤凰作为官名，（凤凰）是鸟中之首，掌管法律并管制鸟类的官职，孔子也从中学习获益。他告诉众人说：天子在管理典章制度的时候失职，所以导致现在要向四夷学习如何管理官员。

## 卷二十六　沭水、巨洋水、淄水、潍水、胶水

【原文】

《列女传》曰：齐人杞梁殖袭莒，战死。其妻将赴之，道逢齐庄公，公将吊之。杞梁妻曰：如殖死有罪，君何辱命焉？如殖无罪，有先人之敝庐在下，妾不敢与郊吊。公旋车吊诸室。妻乃哭于城下，七日而城崩。故《琴操》云：殖死，妻援琴作歌曰：乐莫乐兮新相知，悲莫悲兮生别离！哀感皇天，城为之堕。

【译文】

《列女传》记载：齐国有一个名叫杞梁殖的人，在一场攻打莒城的战役中死去，他的妻子接他回来安葬时，在路上遇见了齐庄公，庄公恰好在吊念杞梁殖的路上。杞梁殖的妻子说道：如果杞梁殖带着过失死去，怎么敢让您专门来为他悼念呢？假如他的死没有过失，先

人为他所建造的居所还在那儿，我也不敢在郊区为他举行葬礼。于是齐庄公将车子掉头，去杞梁殖家里祭奠他，杞梁殖的妻子在莒城的城墙下痛哭，哭了七天后，城墙都崩塌了。所以《琴操》中记载：杞梁殖去世后，他的妻子曾经为他弹琴唱道：人世间最快乐的事呀！莫过于新认识一位知己！人世间最悲伤的事呀！莫过于人活着却要面对分离！她的悲伤打动了上天，城也因此倒塌了。

【原文】

巨洋水自朱虚北入临朐[①]县，熏冶泉水注之。水出西溪，飞泉侧濑[②]，于穷坎[③]之下，泉溪之上，源麓之侧，有一祠，目之为冶泉祠。按《广雅》，金神谓之清明，斯地盖古冶官所在，故水取称焉。水色澄明而清泠特异。渊无潜石，浅镂沙文。中有古坛，参差相对，后人微加功饰，以为嬉游之处。南北邃岸凌空，疏木交合。先公以太和中作镇海岱，余总角之年[④]，侍节东州。至若炎夏火流，闲居倦想，提琴命友，嬉娱永日。桂笋寻波，轻林委浪，琴歌既洽，欢情亦畅，是焉栖寄，实可凭衿。小东有一湖，佳饶鲜笋，匪直芳齐芍药，实亦洁并飞鳞。

【注释】

①朐（qú）：地名。②濑（lài）：从沙石上流过的急水。③穷坎：深坑。④总角之年：此处借指童年时期。总角，古时汉族男未冠，女未笄时的发型。头发梳成两个发髻，如头顶两角。

【译文】

巨洋水从朱虚发源，从北面流入临朐县内，注入熏冶泉水。熏冶泉水的源头是西溪，奔腾的泉水从侧面流入一个深坑里，泉水上方，源头旁的山上，建了座祠堂，名叫冶泉祠。据《广雅》记载，金神的本名叫作清明。这里原来是古代管理官员的地方，于是水也这样命名。此泉干净清澈，但是超乎寻常地清凉，泉水底下鲜少有石头，浅处显现出沙子组成的花纹。泉水中间有一座古祭坛，参差不齐地相对着，后世的人将它稍作修饰，用来做休息娱乐的地方。（泉水的）南面和北面有险峻的边岸悬在空中，稀疏的树木相互交错。太和年间，我的父亲曾在此处管理海岱，那个时候我尚且年幼，跟着父亲一路东行。每到夏日炎炎，闲来无聊的时候，就会邀几个好友，带上琴具，在这里嬉笑玩闹一整天。驾上一叶小船，在水波上缓缓行进，树木投下阴影，水中泛起轻盈的浪花。琴声和歌声完美地融合在一起，快乐地表达欢喜的心情。将自己完整地融入这清幽的环境之中，表达舒畅之怀。寄身在这清幽可爱的林泉间，向大自然寄托自己的情怀。东边有一面小湖，湖边盛产竹笋，鲜美异常，散发的芳香可以和芍药媲美，干净得像（水里的）鱼儿一般。

【原文】

其水北流注井，井际广城东侧，三面积石，高深一匹有余。长津激浪，瀑布而下，澎赑[①]之音，惊川聒谷；湍滂之势，状同洪河，北流入阳水。余生长东齐，极游其下。于中阔绝，乃积绵载。后因王事，复出海岱。郭金、紫惠同石井，赋诗言意，弥日嬉娱，尤慰羁心，但恨此水时有通塞耳。

【注释】

①澎赑（péng bì）：水下泄冲击声。

【译文】

（阳）水向北流去，进入一口大井中，大井地处广城东侧，另外三面全是堆积的石块，高一匹多。水流奔腾不已，最终变成一面瀑布向下流去，发出震耳欲聋的轰鸣声，奔腾流动，气势磅礴，就像是洪水期的河流，从北面流入阳水。我在东齐出生长大，常常在这瀑布底下嬉戏，但是之后离开多年，因为处理公事，我又重新回到海岱，便邀请郭金、紫惠同我一起去石井下玩乐，写诗抒发情怀，嬉戏玩闹，抚慰一颗漂泊的游子心，只是遗憾这水流时而畅通时而堵塞。

【原文】

琅邪，山名也，越王勾践之故国也。勾践并吴，欲霸中国，徙都琅邪。秦始皇二十六年，灭齐以为郡。城即秦皇之所筑也。遂登琅邪大乐之山。作层台于其上，谓之琅邪台。台在城东南十里，孤立，特显出于众山，上下周二十里余，傍滨巨海。秦王乐之，因留三月，乃徙黔首[1]三万户于琅邪山下，复十二年。所作台，基三层，层高三丈，上级平敞，方二百余步，广五里。刊石立碑，纪秦功德。台上有神渊，渊至灵焉。人污之则竭，斋洁则通。神庙在齐八祠中，汉武帝亦尝登之。

【注释】

①黔首：战国时期以及秦朝对百姓的称呼。

【译文】

琅邪，山的名字。是越王勾践的故国。吴国被越王勾践吞并后，（越王勾践）想称霸中原地区，就把都城迁徙到琅邪山上。秦始皇二十六年，齐国被灭，（琅邪）变为郡城，郡城由秦始皇建造。后来（秦始皇）登上琅邪的大乐山，建造看台，取名琅邪台。琅邪台位处城东南十余里的地方，孤单地立在那儿，看起来特别突出。不同于其他的山，山周围二十多里的地方都是大海。秦始皇十分欢喜，所以在这待了好几个月，并把数万户人家迁居琅邪山脚下，耗时将近十二年。（秦始皇）建造的看台有三层，每一层高三丈，最上面那层十分宽敞明亮，长度大概二百步，宽度近五里。上面放置一石碑，用来纪念歌颂秦始皇的功德。看台上还有一个有灵气的水池，这个水池非常有灵气，只要有人想要污染它，就会干涸，保持清洁干净，水流就会畅通。这座有灵性的寺庙号称齐地八大祠堂之一，汉武帝也曾试图登爬。

【原文】

昔韩信与楚将龙且夹潍水而阵于此。信夜令为万余囊，盛沙以遏潍水，引军击且，伪退；且追北，信决水，水大至，且军半不得渡，遂斩龙且于是水。

【译文】

韩信与楚将龙且曾在此处，相对着潍水排列兵阵。晚上，韩信派自己的部下准备了一万多个袋子，里面盛满沙土，用来阻挡潍水，（阻挡潍水之后）再带领军队攻打龙且，并假扮失败撤退。龙且向北面追去，（龙且追击时，）韩信将那些袋子取下，滔滔大水滚滚而来，于是龙且大半的部队淹没水中无法渡河，（借此机会，）韩信在水里杀了龙且。

【原文】

潍水东北迳逄萌墓。萌，县人也。少有大节，耻给事县亭，遂浮海至辽东，复还，在不其山隐学。明帝安车征，萌以佯狂免。

【译文】

潍水往东北方向流去，经过逄萌的墓穴。逄萌，都昌县人，年纪尚小时，就非常有气节，因在县亭任职，感觉十分耻辱，于是漂洋过海来到辽东，回来之后，在不其山上隐居读书。明帝准备车马想要录用逄萌，（逄萌）就假装自己已经疯魔，明帝取消任职。

【原文】

胶水又北迳黔陬[①]故城西。袁山松《郡国志》曰：县有介亭。《地理志》曰：故介国也。《春秋》：僖公九年，介葛卢来朝，闻牛鸣曰：是生三牺，皆用之。问之，果然。

【注释】

①陬（zōu）：地名。

【译文】

胶水往北去，经过黔陬县旧城的西南面，袁山松的《郡国志》记载：黔陬县里有介村。《地理志》记载：此处就是曾经的介国。《春秋》中记载：僖公九年，介国官员葛卢前来朝拜，听见牛叫声，说的是：我生了三只小牛犊，但是全部被拿来祭祀了。他询问一番，发现果然如此。

## 卷二十七　沔水

【原文】

诸葛亮之死也，遗令葬于其山[①]，因即地势，不起坟垄，惟深松茂柏，攒蔚川阜，莫知墓茔所在。山东名高平，是亮宿营处，有亮庙。亮薨，百姓野祭。步兵校尉②习隆③、中书郎④向充⑤共表云：臣闻周人思召伯⑥之德，甘棠为之不伐；越王怀范蠡⑦之功，铸金以存其像。亮德轨遐迩，勋盖来世，王室之不坏，寔⑧赖斯人，而使百姓巷祭，戎夷⑨野祀，非所以存德念功，追述在昔者也。今若尽顺民心，则黩而无典，建之京师，又逼宗庙，此圣怀所以惟疑也。臣谓宜近其墓，立之沔阳⑩，断其私祀，以崇正礼。

【注释】

①其山：定军山，在今陕西省勉县城南。②步兵校尉：官名，掌管宿卫兵。③习隆：三国蜀汉襄阳（今湖北襄樊）人。④中书郎：中书侍郎，典掌诏命。⑤向充：三国蜀汉人，官至尚书，协赞大将军姜维。⑥召（shào）伯：召公名姬奭，是诸侯之长，称伯。⑦范蠡（lǐ）：春秋时期楚三户（今河南淅川）人，字少伯，辅佐越王勾践灭吴，报会稽之耻。⑧寔：同"实"，的确，实在。⑨戎夷：戎和夷，古民族名，泛指少数民族。⑩沔（miǎn）阳：古县名，西汉置，在今陕西省勉县东，以在沔水之阳得名。

【译文】

诸葛亮去世后，人们按照他的遗言将他安葬在定军山上，因为山上的地势，所以没有建坟墓，墓穴深藏在一堆茂盛的松柏树之中，有水和山冈，但是不知道具体在哪个位置。山的东面的地方叫高平，是诸葛亮曾经居住的营地，（现在在那里建立了）一座诸葛亮庙。诸葛亮死后，百姓在郊区祭奠他。步兵校尉习隆、中书郎向充曾经共同上表说：我们听闻，周朝人时刻心系着召伯的品德，所以为他种下甘棠树，从来不去砍伐；越王因为感念范蠡留下的功绩，所以亲自铸了一尊金像（专门纪念他）。而诸葛亮的仁德言行远近闻名，成就举世无双，如今王室始终能够统一，没有衰败，的确都是因为他的功劳和付出，可是现在却让百姓在郊区祭奠他，怎么算是感念他的仁德功劳呢。如今若是顺应百姓的想法，就会没有规矩，一片混乱，但若将其建在京城，那么又会对宗庙产生威胁，这大概也是圣上犹豫的原因。我们认为最好的方法就是在靠近墓穴的地方，也就是沔阳，建立一座祠堂，这样就可以根治民间私自祭祀，崇尚正规的祭祀礼仪。

【原文】

诸葛亮《与兄瑾书》云：前赵子龙[①]退军，烧坏赤崖[②]以北阁道缘谷百余里，其阁梁一头入山腹，其一头立柱于水中。今水大而急，不得安柱，此其穷极，不可强也。又云：顷大水暴出，赤崖以南桥阁悉坏。时赵子龙与邓伯苗[③]，一戍赤崖屯田，一戍赤崖口，但得缘崖与伯苗相闻而已。后诸葛亮死于五丈原[④]，魏延[⑤]先退而焚之，谓是道也。自后按旧修路者，悉无复水中柱，迳涉者浮梁振动，无不摇心[⑥]眩目也。

【注释】

①赵子龙：赵云，常山真定（今河北省石家庄市）人，三国蜀汉大将。②赤崖：古地名，在陕西省留坝县东北，褒斜阁道所经。③邓伯苗：邓芝，义阳新野（今河南新野）人，三国蜀汉大将军。④五丈原：在今陕西省岐山县城南。诸葛亮病卒于此。⑤魏延：字文长，义阳（今河南信阳）人，三国蜀汉大将。⑥摇心：心惊胆战。

【译文】

诸葛亮的《与兄瑾书》写道：之前子龙击溃敌军，烧毁赤崖以北的阁道，阁道沿山谷建立，长一百多里，其中一头到达半山腰，另一头通往水中，形成了柱子。如今水流巨大且湍急，不能再立柱，事情十分地糟糕，不能再继续勉强。（诸葛亮）又说道：洪流汹涌而出，赤崖南边桥梁索道全部损坏，此时，赵子龙与邓伯苗，一个驻守赤崖边上，以免田地损坏，一个守在于赤崖口，两人在崖边大声呼喊进行沟通。后来诸葛亮在五丈原去世，魏延先行撤退，放火烧毁索道，这就是那条索道。从此之后，凡是按过去那样修路的人，都无法在水中立柱，步行经过此处的人都摇摇晃晃，全部心惊胆战、头晕目眩。

【原文】

《汉中记》[①]曰：自西城[②]涉黄金峭、寒泉岭、阳都坂[③]，峻崿[④]百重[⑤]，绝壁万寻[⑥]，既造[⑦]其峰，谓已逾[⑧]崧[⑨]、岱[⑩]，复瞻前岭，又信过之。言陟羊肠，超烟云之际，顾看向涂[⑪]，杳然有不测之险。山丰野牛、野羊，腾岩越岭，驰走若飞，触突树木，十围[12]皆倒。山殚[13]艮阻[14]，地穷坎势矣。

【注释】

①《汉中记》：书名，不详。②西城：古县名，秦惠文王置，治今陕西安康。③黄金峭、寒泉岭、阳都坂：都在今陕西汉中。④峻崿（è）：峻峭的山崖。⑤百重（chóng）：百层，这里指层层重叠。⑥万寻：万丈。寻，古代长度单位，一般为八尺。⑦造：到达。⑧踰：同“逾”，超过。⑨崧：嵩山，在河南省登封市北，为五岳之中岳。⑩岱：泰山，在山东省，为五岳之首。⑪向涂：刚才的路。涂，通“途”，道路。⑫围：计量周长的约略单位，说法不一，现多指两手或两臂之间合拢的长度。⑬殚（dān）：尽。⑭艮（gèn）阻：艰难险阻。

【译文】

《汉中记》记载：想要从西城翻越到黄金峭、寒泉岭、阳都坂，要经过重重阻碍，高山十分险峻，悬崖峭壁高万丈，到达山峰上，自以为已经翻越了崧山、岱山时，远眺前面的山峰，发现它们比之前的山峰更为险峻。走在羊肠小路之间，就像行走在云朵的边缘，回头看刚才的路，迷蒙看不清楚，仿佛有不可预测的危险。山上还有许多野生牛羊，它们爬过山崖，从山岭上跳跃，健步如飞，如果不小心触碰树木，十个人才能围住的大树也会被撞到。所以说山上地势的险峻，已经到达了一种极致。

【原文】

洋川[1]者，汉戚夫人[2]之所生处也。高祖得而宠之，夫人思慕本乡，追求洋川米，帝为驿致长安。蠲复[3]其乡，更名曰县。故又目其地为祥川，用表夫人载诞之休祥也。

【注释】

①洋川：古代的洋川郡，为北魏晋明中置，属洋州。辖今陕西省西乡、镇巴等县一带。是现在的贵州省遵义市绥阳县洋川镇。②汉戚夫人：称戚姬，名懿，下邳（今江苏邳州）人，祖籍秦末汉初定陶（今山东定陶），是汉高帝刘邦的宠妃，曾随刘邦征战四年。③蠲（juān）复：免除赋税或劳役。

【译文】

洋川是汉朝戚夫人的出生地。汉高祖迎娶她后，宠爱有加，但是戚夫人一直思念着自己的故乡，心里挂念着洋川的大米，于是汉高祖专门为了她建立一个直达长安的驿站。减免当地的赋税和劳役，并且更名为县，所以这个地方又被称为祥川，用来纪念戚夫人出生后为这个地方所带来的福气和吉祥。

【原文】

《蜀都赋》[1]曰：流汉汤汤，惊浪雷奔，望之天迴，即之云昏者也。汉水又东迳岚谷北口，嶂远溪深，涧峡险邃，气萧萧以瑟瑟，风飕飕而飀飀[2]，故川谷擅其目矣。汉水又东，右得大势；势阻急溪，故亦曰急势也。依山为城，城周二里，在峻山上，梁州督护[3]吉挹[4]所治。苻坚[5]遣偏军韦钟[6]伐挹，挹固守二年，不能下，无援遂陷。

【注释】

①《蜀都赋》：扬雄和左思都著有《蜀都赋》，杨守敬按：左思《蜀都赋》文。②飀飀（liú liú）：微风吹动的样子。③督护：官名，晋朝设立的专职军事职务。④吉挹：人名，字祖冲，冯翊莲芍（今陕西渭南市东北）人，愍帝时为御史中丞。⑤苻（fú）坚：前秦世祖宣昭皇帝苻坚，字永固，又字文玉，小名坚头，氐族，略阳临渭（今甘肃秦安）人，十六国时期前秦的君主，357—385年在位。⑥韦钟：京兆人，前秦魏郡太守、梁州刺史、青州刺史。

【译文】

《蜀都赋》记载：汉水滚滚而来，奔流不停，如同雷鸣，遥望天际尽头，全是昏暗的云朵。汉水往东流去，经过岚谷北面的出口，这里高山险峻，溪涧深远，峡谷山涧危险深邃，风飕飕吹来，萧萧瑟瑟，所以以此命名。汉水再往东面流去，右边出现盛况，湍流将其隔断，所以又被称为急势。山旁是一座小城，小城周围二里左右，就是峻山，归属于梁州督护吉挹。苻坚曾派偏军韦钟攻打吉挹，因为吉挹的坚守，整整两年还没有成功，最后因为（吉挹）没有军队的支援，所以才战败沦陷。

【原文】

建安二十四年，刘备以申仪[1]为西城太守。仪据郡降魏，魏文帝改为魏兴郡，治故西城县之故城也。氐[2]略汉川，梁州移治于此，城内有舜祠、汉高帝庙，置民九户，岁时奉祠焉。汉水又东为鳣[3]湍，洪波涣[4]荡，漰浪云颓。古耆[5]旧言，有鳣鱼奋鳍溯流，望涛直上，至此则暴鳃失济，故因名湍矣。

【注释】

①申仪：三国时魏将领。②氐（dī）：中国古族名。原在中国北部和西部的广大地区游牧。从东汉起陆续内迁，主要居住在今陕西、甘肃、四川等广大地区。从事畜牧、农业。魏晋时大量接受汉族文化和生产技术。历史上曾建立过仇池、前秦、后凉等国。③鳣（zhān）：一种鱼类。④涣（bèn）：入水貌。⑤古耆（qí）：老人。

【译文】

建安二十四年，刘备派申仪担任西城太守，后来申仪将郡城据为己有，并投奔魏国，魏文帝将其更名为魏兴郡，郡治处于西城县的老城区当中。氐族攻打汉川，（于是）梁州迁至此处。城里面建造着纪念舜的祠堂、为汉高帝而建的寺庙，并有几户人家居住在此，每年按时祭奠。汉水再往东流，到达鳣湍，水流非常湍急，滚滚而来。传说：曾经有一条逆流而上的鳣鱼，迎着滚滚河流，到达此处时，因鱼鳃破裂、力气用尽而死，所以将这里取名为鳣湍。

【原文】

县有锡义山，方圆百里，形如城，四面有门，上有石坛，长数十丈，世传列仙所居，今有道士，被发饵术[1]，恒数十人。山高谷深，多生薇蘅草，其草有风不偃[2]，无风独摇。

【注释】

①饵术：服食苍术，也指服药养身，修仙学道。传说久服苍术可以成仙。②偃（yǎn）：仰面倒下。

【译文】

该县有锡义山，在山的方圆百里左右，（有一座建筑物，）形状看起来像是一座城，四个方向都有门，上方有一个石坛，长数十丈，民间传说，曾有许多仙人居住在这里。如今，这里居住着数名修道之人，每天披散着头发，以吃饵术为生。山势非常险峻，峡谷深邃，山上生长了许多薇蘅草，有风时纹丝不动，无风时自己开始摇摆。

## 卷二十八　沔水

【原文】

沔水北岸数里，有大石激，名曰五女激，或言女父为人所害，居固城，五女思复父怨，故立激以攻城。城北今沦①于水。亦云有人葬沔北，墓宅将为水毁。其人五女无男，皆悉巨富，共修此激以全坟宅。然激作甚工。又云女嫁为阴县②佷子③妇，家赀④万金，而自少小不从父语。父临亡，意欲葬山上，恐儿不从，故倒言葬我著渚下石碛上。佷子曰：我由来不奉教，今从语。遂尽散家财，作石冢，积土绕之，成一洲，长数百步。元康中，始为水所坏，今石皆如半榻许，数百枚聚在水中。佷子是前汉人。襄阳太守胡烈⑤有惠化，补塞堤决，民赖其利。景元四年九月，百姓刊石铭之，树碑于此。

【注释】

①沦（lún）：本义为水的微波，此处指沉沦、没落。②阴县：秦始皇二十六年（前221），实行郡县制，设阴县（老河口市傅家寨附近）。③佷（hěn）子：人名，不详。④赀：同“资”，家产。⑤胡烈：字玄武，西晋安定临泾（今甘肃镇原东南）人。

【译文】

在沔水北岸边数里处，有一条巨大的石坝，名叫五女激。传说五女的父亲被人谋害，凶手就住在这个城里，五女一直想要为父亲报仇雪恨，所以建了巨坝，攻打此城为父报仇。如今城的北面已沉没水中。还有传说，有人葬在沔水北面，墓穴却被水流击毁，此人只有五个女儿，没有儿子，但每个女儿都十分富有，所以一起修建堤坝，保全父亲的墓穴。所以这个堤坝做工十分精致。还有一种传说，阴县的佷子娶一个女子为妻，佷子家产万贯，但是佷子从小到大就不按父亲的要求做事。父亲临死前想将自己葬在山上，但是担心儿子又和自己对着干，就故意说反话，说等我死了之后就把我埋葬在水下的石头边。结果佷子说，我从来不肯孝顺父亲，听他的话，这一次我一定要遵循父亲的意愿。于是（佷子）用光了家里的钱，建立了一个石穴，用泥土在周围绕了一圈，形成一个小岛似的土丘，长数百步。元康年间，因为水流的冲刷而毁坏。如今还有数百块石头在水下，每一块都像半张床榻一般大小。佷子是前汉人。胡烈担任襄阳太守的时候，崇尚仁义道德，将这个堤坝的缺口堵住，百姓因此获得实惠。景元四年九月，百姓在此建立石碑，用来纪念他。

【原文】

沔水①又东迳万山②北。山上有邹恢碑③，鲁宗之④所立也。山下潭中有杜元凯碑，元凯好尚后名，作两碑，并述己功，一碑沉之岘山⑤水中，一碑下之于此潭。曰：百年之后，何知不深谷为陵⑥也？

【注释】

①沔（miǎn）水：水名，汉水的上游，在陕西省，古代也指整个汉水。②万山：在今湖北省襄阳市西北。③邹恢碑：沈钦韩认为邹恢疑是郗（xī）恢之误。恢为郗鉴之孙。④鲁宗之：南朝宋鲁爽之祖，字彦仁，历官至南郡太守，封南阳郡公。⑤岘（xiàn）山：在湖北省襄阳市。⑥深谷为陵：深谷变成山陵。语出《诗经·小雅·十月之交》：“高岸为谷，深谷为陵。”

【译文】

沔水往东流去，经过万山北面，万山上面有一块邹恢碑，由鲁宗建造。山下水潭中还建有一块杜元凯石碑，杜元凯非常喜欢为自己立碑，留名后世，所以在此建立两块石碑，歌颂自己的功德，其中一块已经在岘山的水中沉没，而另一块也消失在水潭下，所以才说：谁知道百年之后，深谷会不会变成丘陵呢？

【原文】

城东门外二百步刘表[①]墓，太康中，为人所发，见[②]，表夫妻，其尸严然，颜色不异，犹如平生。墓中香气，远闻三四里中，经月不歇。今坟冢及祠堂，犹高显整顿。城北枕沔水，水中常苦蛟害，襄阳太守邓遐负其气果，拔剑入水，蛟绕其足，遐挥剑斩蛟，流血丹[③]水，自后患除，无复蛟难矣。昔张公[④]遇害，亦亡剑于是水。后雷氏为建安从事[⑤]，径践濑溪，所留之剑，忽于其怀跃出落水，初犹是剑，后变为龙。

【注释】

①刘表：字景升，山阳郡高平（今山东微山）人。汉鲁恭王刘余之后，东汉末年名士，汉末群雄之一。②见：通“现”。③丹：红色，这里指将……染红。④张公：名张华，字茂先。范阳方城（今河北固安）人。西晋时期政治家、文学家、藏书家。⑤从事：在古代是一种官职名称。

【译文】

在城东面两百步的地方，就是刘表的墓穴，太康年间被人发现，刘表夫妻两人的尸体和死去时一模一样，皮肤和气色没有任何变化，和平时一样。三四里之外就可以闻到墓穴里的香气，好几个月不曾消散。如今不仅墓穴，（墓穴）周边的祠堂也保存完好。城北面靠近河水，但是水流常常遭蛟龙破坏。担任襄阳太守的邓遐，非常果断有气节，拔出剑就跳进水里，蛟龙缠住他的脚，邓遐拿剑斩杀蛟龙，（蛟龙）流出来的血将整条河染红，从此再无后患。据说张华被害死时，也在此处丢失宝剑。之后担任建安从事的雷氏，在渡河时，佩剑忽然从怀里掉入水中，刚开始还只是一把剑，随后化作一条龙。

【原文】

《汉晋春秋》[①]称：桓帝幸[②]樊城[③]，百姓莫不观；有一老父，独耕不辍[④]。议郎[⑤]张温[⑥]使问焉。父笑而不答。温因与之言，问其姓名，不告而去。

【注释】

①《汉晋春秋》：东晋习凿齿撰写。五十四卷，一作四十七卷（见

《隋·志》)。该书记述起自东汉光武帝、止于西晋愍帝二百八十一年间历史。史料价值较高。②幸：到达，临幸。帝王到达某地称“幸”。③樊城：位于湖北省襄阳市，汉水中游。④辍(chuò)：停止，放弃。⑤议郎：官名，郎官的一种，秦时设置。⑥张温：字惠恕，吴郡吴县(今江苏苏州)人。

【译文】

《汉晋春秋》记载：桓帝到达樊城，百姓全部都来观看，只有一位老人，还在田里耕作，没有停下来的意思。议郎张温派人问老人缘由，老人只是微笑，并不回答，于是张温跑来和他说话，询问(老人的)名字，结果老人什么都没有说就离开了。

【原文】

司马德操①宅②洲之阳③，望衡④对宇⑤，欢情自接，泛舟褰裳⑥，率尔休畅，岂待还桂柁⑦于千里，贡⑧深心于永思哉！水南有层台，号曰景升台，盖刘表治襄阳之所筑也。言表盛游于此，常所止憩。表性好鹰，尝登此台，歌《野鹰来曲》，其声韵似孟达⑨《上堵吟》⑩矣。

【注释】

①司马德操：司马徽，字德操，颍川阳翟(今河南禹州)人。东汉末年名士，精通经学。②宅：居住，名词作动词。③阳：南面。④衡：用横木做门，引申为门。⑤宇：屋檐下，引申为屋。形容住处相距很近，可以相互望见。⑥褰(qiān)裳：《褰裳》，《诗经·郑风》的一篇。这里指相聚在河畔。⑦柁(tuó)：桂木做的船柁。亦指船。⑧贡：献东西给上级，古代臣下或属国把物品进献给帝王；封建时代给朝廷举荐人才。这里应该用第二个意思。⑨孟达：字子度，本字子敬，因刘备的叔父名叫刘子敬，为避讳而改字。扶风郡郿(今陕西省眉县东北)人，三国时期人物。⑩《上堵吟》：已失传。

【译文】

司马德操就居住在州的南部，房屋之间相距很近，面对着面，于是常在河畔相聚，共同度快乐时光，乘一叶扁舟相聚在河畔，怡然自得，无忧无虑，怎么还想乘船去千里之外的地方，费尽心思为君主效劳呢？南边水岸上建了一层台阶，刘表在治理襄阳时下令建造(此台），取名景升台。相传，他十分喜爱在这里游玩娱乐，也经常停在这里休息。刘表非常喜欢老鹰，曾经爬到台阶上，唱了一曲《野鹰来曲》。这首曲子的曲调和声音与孟达的《上堵吟》十分相似。

【原文】

又东入侍中①襄阳侯习郁鱼池②。郁依范蠡养鱼法作大陂③，陂长六十步，广四十步，池中起钓台。池北亭，郁台所在也。列植松篁④于池侧沔水上，郁所居也。又作石洑逗⑤，引大池水于宅北，作小鱼池，池长七十步，广二十步。西枕大道，东北二边限以高堤，楸竹夹植，莲芡⑥覆水，是游宴之名处也。山季伦之镇襄阳，每临此池，未尝不大醉而还，恒言此是我高阳池。故时人为之歌曰：山公出何去？往至高阳池。日暮倒载归，酩酊无所知。其水下入沔。沔水西又有孝子墓，河南秦氏，性至孝，事亲无倦，亲没之后，负土成坟，常泣血墓侧，人有咏《蓼莪》者，氏为泣涕，悲不自胜，于墓所得病，不能食，虎常乳之，百余日卒。今林木幽茂，号曰孝子墓也。

【注释】

①侍中：官名，秦治，两汉沿袭，为正规官职外的加官之一，因侍从皇帝左右，出入宫廷而显贵。②习郁鱼池：故址在今湖北省襄阳市南。习郁，东汉刘秀时人。③陂（bēi）：池塘。④篁（huáng）：竹子。⑤洑（fú）：水在地面下流。⑥芡（qiàn）：多年生草本植物，生在水池中，像荷叶，浮在水面，略像鸡头，故亦叫鸡头。

【译文】

（陂水）向东流，流入侍中襄阳侯习郁的鱼池。习郁依据范蠡所著的《养鱼法》，建造了一个巨大的池塘，长六十步，宽四十步，（习郁）在池塘的中央建了一个钓鱼台，池子北面还坐落着一个村子，这个村子就是习郁的墓穴。他在池塘一旁的沔水岸边种了许多松树。堆砌了一个石渠，（用来）把大池塘里面的水导入住宅北面，（习郁）还建造了一个小鱼池，小鱼池长七十步，宽二十步，西面对着马路，东北侧建造高高的堤坝，堤坝上种了竹子等植物，水面上漂浮着的全是莲花，是著名的游玩胜地。山季伦驻守襄阳时，每一次都来这里喝酒玩乐，喝得酩酊大醉才回家，还经常说：这个地方就是我的高阳池呀。因此有人创作歌谣：山公出门去往哪里？原来高阳池是他的目的地。天要黑了才被送回家中，酩酊大醉迷迷糊糊。（陂水）再往下流，与沔水相会。在沔水西岸，有一座孝子墓。传说，河南的秦氏是一个十分孝顺的人，殷勤地侍候父母，从来没有怨言。父母双亡后，他亲自将泥土运到山上，建造墓穴，并且时常在墓穴的旁边悲伤地哭泣。甚至在听见别人吟诵《蓼莪》时，也会大声痛哭，难以掩饰悲伤的情绪。后来他在墓旁生了重病，无法食用任何食物，有只老虎喂乳汁给他喝，一百多天之后，他还是去世了。如今，墓穴周围都是生长良好的树木，人们为了纪念他，将此地命名为孝子墓。

【原文】

山有石穴出马，谓之马穴山。汉时有数百匹马出其中，马形小，似巴、滇马。三国时，陆逊攻襄阳，于此穴又得马数十匹，送建业。蜀使至，有家在滇池者，识其马毛色，云：其父所乘马，对之流涕。

【译文】

曾有匹马从山中石穴里跑出，所以（这座山）取名为马穴山。汉朝时期，曾有数百匹马从这个山洞里跑出，这些马的体型十分娇小，看起来像是来自巴、滇两地。三国时期，陆逊曾率兵攻打襄阳，经过这个洞穴，便从里面抓获了数十匹马，送到建业。蜀地的使者来到建业，这些使者中有一个人，家住滇池附近，他看见其中一匹马儿毛发的颜色，说这马应该是他父亲平日里所骑的那匹马，于是他一直对着这匹马儿流眼泪。

【原文】

水中有物，如三四岁小儿，鳞甲如鲮鲤①，射之不可入。七八月中，好在碛②上自曝③。膝头似虎，掌爪常没水中，出膝头④，小儿不知，欲取弄戏，便杀人。或曰，人有生得者，摘其皋厌⑤，可小小使，名为水虎者也。

【注释】

①鲮（líng）鲤：穿山甲，哺乳动物，体和尾有覆瓦状的角质鳞。②碛（qì）：沙石积成的浅滩。③曝（pù）：晒。④膝头：膝盖头。⑤皋厌：鼻子。一说水虎的生殖器官。

【译文】

水里生活着一种生物，长相如同三四岁大的小孩，身上长满了鳞甲，如同鲮鲤，（它的鳞甲和皮肤）用箭也无法穿透。七八月时，（这种生物）就喜欢自己趴在石头上面晒太阳，膝头看起来同老虎一样，（它的）脚掌和趾头常常泡在水里，只有膝盖头会露出水面，有不懂事的小孩子，想抓它过来玩弄，它就会杀死他们。也有人曾说，如果谁能抓到它，先把它的鼻子割掉，就可以指使它、驯服它。这种生物的名字叫作水虎。

【原文】

《国语》[①]所谓楚灵王阙[②]为石郭，陂[③]汉，以象帝舜者也。湖侧有章华台[④]，台高十丈，基广十五丈。左丘明曰：楚筑台于章华之上。韦昭[⑤]以为：章华亦地名也。王与伍举[⑥]登之，举曰：台高不过望国之氛祥，大不过容宴之俎豆[⑦]。盖讥其奢而谏其失也。

【注释】

①《国语》：是中国最早的一部国别体著作，记录了周朝王室和鲁国、齐国、晋国、郑国、楚国、吴国、越国等诸侯国的历史。②阙：陵墓前两边的石牌坊。③陂：石筑的外城，亦喻坚固如铁。④章华台：章华台，又称章华宫，是楚灵王六年（前535）修建的离宫，后毁于兵乱，被誉为当时的“天下第一台”。经考证位于湖北潜江龙湾附近。⑤韦昭：字弘嗣，吴郡云阳（今江苏丹阳）人。三国时期吴国文学家、史学家、经学家。⑥伍举：春秋时期楚国人，因封于椒（今安徽省阜南县焦陂镇），又称椒举。⑦俎豆：典出《论语·卫灵公》和《史记》卷四十七《孔子世家》。俎和豆，古代祭祀、宴飨时盛食物用的两种礼器，亦泛指各种礼器，后引申为祭祀和崇奉之意。

【译文】

《国语》记载：楚灵王大修土木，在陵墓前建造十分坚硬的外城，就是为了使自己的墓地看起来像舜帝的墓穴那样。湖的旁边是名叫章华台的离宫，建筑高十丈，地基宽十五丈。左丘明说：楚灵王在章华上建了离宫。韦昭认为，章华也是一个地名。相传，伍举陪同楚灵王登章华台，伍举说道：建造章华台，只不过是为了预兆一个国家的吉凶发展，大小只要足够摆放宴会所需要的工具就可以了。他说这话就是为了讽刺楚灵王的奢侈风气，指出他所犯下的错误。

【原文】

昔周昭王南征，船人胶舟①以进之。昭王渡沔，中流而没，死于是水。齐、楚之会，齐侯曰：昭王南征而不复，寡人是问②。屈完③曰：君其问诸水滨。庾仲雍④言：村老云，百姓佐昭王丧事于此，成礼而行，故曰佐丧。

【注释】

①胶舟：用胶粘合之舟。②是：代词，指“昭王南征而不复”这件事。作为“问”的宾语前置，是宾语前置句式。③屈完：芈（mǐ）姓，屈氏，名完，春秋时期楚国大夫。④庾仲雍：名穆之，字仲雍，为东晋或晋宋之际人，熟悉江汉水道地理，当长期在湖北湖南地区生活。

【译文】

周昭王曾经朝南征战，船夫献给他一艘用胶粘合的船，于是周昭王渡河时，船在河流中间就被淹没了，周昭王也葬身水中。齐国和楚国相会的时候，齐侯说道：周昭王向南征战，却一去不复返，我必须要将这件事情追究到底。屈完说道：我认为你们应该去调查水滨。而庾仲雍说道：村里的老人们都说，百姓们就是在这里帮周昭王举办葬礼，我们应该把葬礼举行完再出发，所以这里被命名为佐丧。

【原文】

沔水又东，谓之横桑，言得昭王丧处也。沔水又东谓之郑公潭，言郑武公与王同溺水于是。余谓世数①既悬②，为不近情矣。斯乃楚之郑乡，守邑大夫③僭④言公。故世以为郑公潭耳。沔水又东得死沔，言昭王济沔自是死，故有死沔之称。王尸岂逆流乎？但千古芒昧，难以昭知，推其事类，似是而非矣。

【注释】

①世数：世系的辈数。②悬：差别大。③大（dà）夫：古代官名。诸侯的封地称为"国"，大夫的封地叫作"邑"。④僭（jiàn）：超越本分，古代指地位在下的人冒用上位者的名义或接受礼仪、器物。

【译文】

河水再向东面流去，经过一个叫横桑的地方，相传这里曾是埋葬周昭王的地方。沔水若是再往东面流去，经过郑公潭，据说这里就是郑武公与昭王一同溺毙的地方。但是我认为，郑武公和周昭王二人生活的年代不同，所以这样的说法是无法真正立足的。这个地方是楚国的郑乡，管理这个地方的人（超越本分）称自己为郑公，于是这里被命名为郑公潭。（河水）再往东面流去的话会经过死河，也有传闻说因为这里是周昭王去世的地方，所以叫作死河。但是这样说来，周昭王的尸体难道是逆水而行，才到达上游吗？千百年以前的事情很难真正搞清楚，（我们也）只能靠推演来判断，得到的也是似是而非的答案。

## 卷二十九　沔水、潜水、湍水、均水、粉水

【原文】

昔县人阳子明钓得白龙处。后三年，龙迎子明上陵阳山，山去地千余丈。后百余年，呼山下人，令上山半，与语溪中。子安问子明钓车所在。后二十年，子安死，山下有黄鹤栖其冢树，鸣常呼子安，故县取名焉。

【译文】

旋溪水就是县人阳子明钓到白龙的地方。许多年之后，那白龙盛情邀请子明上了陵阳山，这座山距离地面一千多丈。后来的几百年里，

（子明）叫山下的民众到半山腰来，和他在溪水中间说话。子安向子明询问，当年的钓车现在在何处。二十年过去，子安去世，山下有一只黄鹤鸟栖息在他坟墓上方的树上，鸣叫时常常呼唤子安的名字，所以这个县以此命名。

【原文】

始皇时，县有童谣曰：城门当有血，城陷没为湖。有老妪[①]闻之，忧惧，旦[②]往窥城门，门侍欲缚之，妪言其故。妪去后，门侍杀犬，以血涂门。妪又往，见血，走去不敢顾。忽有大水长，欲没县。主簿[③]令干入白令，令见干，曰：何忽作鱼？干又曰：明府[④]亦作鱼。遂乃沦陷为谷矣。

【注释】

①老妪（yù）：古代老妇人的自称。②旦：早上。③主簿（bù）：古代官名，是各级主官属下掌管文书的佐吏。④明府："明府君"的略称，汉人用来对太守的尊称。

【译文】

秦始皇（统治）时期，县里的童谣唱道：若是城门外血迹斑斑，城市就会随之陷落，淹没成湖泊。有老妇人听了，非常地忧虑，早上前去城门偷看，城门外的侍卫将她抓来绑住，老妇人告诉他们事情的缘由。（侍卫听后，放走了老妇人，）老妇人被放走后，侍卫杀了一只狗，并将它的血涂在城门上。老妇人再去城门处，看见了血迹，于是头也不敢回，赶紧离开。（城里）忽然涨起大水，县城马上就被淹没了。一个名叫斡的主簿令将此事告诉了县令，县令看见斡后，问他：怎么你忽然变成了一条鱼？斡回答说：其实您也变成了一条鱼。（随之）城市全部陷落，变成了一片山谷。

【原文】

县有渝水，夹水上下，皆賨民[①]所居。汉祖入关，从定三秦，其人勇健好歌舞，高祖爱习之，今《巴渝舞》[②]是也。县西北有余曹水，南径其县，下注潜水。县有车骑将军冯绲[③]、桂阳太守李温冢。二子之灵，常以三月还乡，汉水暴长，郡县吏民，莫不于水上祭之，今所谓冯李也。

【注释】

①賨(cóng)民：历史上的少数民族，又称寅人、板楯蛮，也是现在土家族的“主源”。②巴渝舞：西汉初年从西南地区賨人（板盾蛮）那里传来的舞蹈。③冯绲：字鸿卿（又作皇卿），巴郡宕渠（今四川渠县）人，东汉时期名将。

【译文】

（賨城）县的河流叫作渝水，渝水周围居住的都是賨民。汉高祖进入关口，带着这些人平定三秦。賨民十分勇猛健康，爱好唱歌与跳舞，汉高祖也爱跟着他们学习，于是创造了如今的《巴渝舞》。县城的西北面是余曹水，从南面经过县城，与潜水交汇。县里建造着车骑将军冯绿、桂阳太守李温两人的墓穴。相传他们二人的魂魄，常常在三月份的时候回到家乡，这时汉水会疯狂地涨潮，当地的官们全部在水上为他们举行祭祀，就是如今的冯李墓。

【原文】

水西有汉太尉长史[①]黾人张敏[②]碑，碑之西有魏征南军司[③]张詹墓[④]。墓有碑，碑背刊云：白楸之棺，易朽之裳；钢铁不入，丹器不藏。嗟矣后人，幸勿我伤！自后古坟旧冢，莫不夷毁，而是墓至元嘉初，尚不见发。六年大水，蛮[⑤]饥，始被发掘。说者言：初开，金银铜锡之器，朱漆雕刻之饰烂然。有二朱漆棺，棺前垂竹帘，隐[⑥]以金钉。墓不甚高，而内极宽大，虚设白楸之言，空负黄金之实。虽意锢[⑦]南山[⑧]，宁同寿乎？

【注释】

①太尉长史：官名，东汉时太尉、司徒、司空将军府各有长史。②张敏：人名，不详。③征南军司：杨守敬按：《魏志·杨俊传》徙为征南军师，是魏特置之官。此征南军师，本即军师。杜佑云：晋避讳，改“军师”为“军司”也。④张詹墓：在今河南省邓州市西北。⑤蛮：我国古代对长江中游及其以南地区少数民族的泛称。⑥隐：隐藏，这里指钉着。⑦锢：通“固”，坚固。⑧南山：泛指大山。

【译文】

（均）水的西面有《汉太尉长史夷人张敏碑》，碑的西面是魏征南军司张詹的墓穴，张詹墓穴前立有石碑，石碑背面刻着：没有装饰和油漆的楸木做成棺材，容易被腐蚀的衣服，里面不放钢铁，不藏红色器皿，所以后世的人们啊，请不要伤害我！之后许多古墓都被偷盗损坏了，但是直到元嘉初年，（张詹）这座墓穴还没有被挖掘过。（直到）多年之后，发洪水，导致饥荒，这个墓穴才被人们挖出来。传言：第一次打开墓穴时，里面满是金银珠宝，各类珍贵器皿，还有精美的红色饰物，非常美丽耀眼。（墓穴）里还有两具红色棺材，棺材前面垂着竹帘，钉着金色的钉子。这个墓穴不高，但是里面的空间十分大，（主人）假意地说墓穴里头空无一物，事实上是为了掩盖里面满满的财宝。也许他的本意是想让这座墓穴像南山一样坚固与永恒，但是这样就真的可以实现了吗？

【原文】

粉水[①]出房陵县，东流过郢邑南，粉水导源东流，迳上粉县，取此水以渍[②]粉，则皓耀鲜洁，有异众流，故县、水皆取名焉。又东过穀邑[③]南，东入于沔。粉水至筑阳县西，而下注于沔水，谓之粉口。粉水旁有文将军冢，墓隧前有石虎、石柱，甚修丽。阎丘羡之为南阳，葬妇墓侧，将平其域，夕忽梦文谏止，羡之不从。后羡之为杨佺期[④]所害，论者以为文将军之祟也。

【注释】

①粉水：今称粉青河，发源湖北省神农架，有南、北二源汇合后称为南河东流在穀城县附近注入汉江。②渍（zì）：浸。③穀邑：春秋时齐国谷邑（今山东东阿），秦代称谷城，亦称小谷。④杨佺期：弘农华阴（今陕西华阴东）人，东汉太尉杨震之后，东晋将领。

【译文】

粉水的发源地是房陵县，向东面流去经过郢邑南面，从源头处往东流，到达上粉县，若是将粉水拿来浸泡麦子粉，（麦子粉）就会变得非常洁白耀眼，鲜亮干净，和（使用）其他的水效果不同，所以县城和水流都以此命名。（粉水）再往东流去，经过谷邑南面，从东面进入沔水。粉水到达筑阳县西面后，与沔水相会，相会处就是粉口。文将军的墓穴就建造在在粉水旁边，道路前面建造了石虎和石柱，样子十分好看。间丘羡之担任南阳太守时，将自己的妻子埋葬在文将军的墓穴旁边，并且想将文将军墓铲平，结果晚上梦见文将军前来阻止自己，但是他没有遵从。后来羡之被杨佺期害死，人们都认为这是文将军所为。

## 卷三十　淮水

【原文】

颍阴①刘陶②为县长③，政化大行，道不拾遗④，以病去官。童谣歌曰：悒然不乐，思我刘君，何时复来，安⑤此下民？见思如此。

【注释】

①颍（yǐng）阴：古代县名，设置于秦国，在现在的河南许昌。②刘陶：字子奇，一名伟，颍川颍阴（今河南许昌）人。③县长：县里的管理者，秦代的时候人口万户以上的称为县令，万户以下称为县长。④道不拾遗：路上有人掉东西，没有人会捡走，多形容民风淳朴，人心善良。⑤安：安抚，使……安居。

【译文】

颍阴的刘陶担任县长时，大力推行政事教化，所以当地民风淳朴，人心善良，最终（刘陶）因病辞官。当地流传的童谣歌唱道：我们心中都不开心，因为思念我们的刘君，他什么时候再一次来到，给我们百姓带来安宁啊？百姓们思念他到了这种地步。

【原文】

汉成帝时，翟方进①奏毁之。建武中，汝南太守②邓晨③欲修复之，知许伟君④晓知水脉，召与议之。伟君言：成帝用方进言毁之，寻而梦上天，天帝怒曰：何敢败我濯⑤龙渊！是后民失其利。时有童谣曰：败我陂，翟子威。反乎覆，陂当复。明府兴复废业。童谣之言，将有征⑥矣。遂署都水掾⑦，起塘四百余里，百姓得其利。

【注释】

①翟方进：字子威，汝南上蔡（今河南上蔡）人。②汝南太守：汝南郡的最高行政长官。汝南，古代的县名，设置于西汉时期，在现在的河南省上蔡县的西南方。③邓晨：字伟卿，南阳新野（今河南新野）人。④许伟君：许杨，字伟君，汝南平舆（今河南平舆）人。《后汉书·方术列传》中有记载。⑤濯（zhuó）：清洗。⑥征：征兆，应验。⑦都水掾（yuàn）：官名，掌管治水。

【译文】

汉成帝时期，翟方进上奏请求毁去堤坝。建武年间，汝南太守邓晨想要修复这个堤坝，他知道许伟君熟悉水脉，就请他来讨论此事。许伟君说：成帝采纳翟方进的建议捣毁堤坝后，梦见自己死后上了天，天帝怒斥他：你怎么敢毁坏龙洗澡的深潭！所以从此百姓失去了水利带来的好处。当时有童谣唱道：翟子威此人，毁坏我塘堤。反反又复复，塘堤应修复。贤明的知府提倡要修复荒废的塘堤，说明童谣要应验了。于是（汝南太守邓晨）就部署都水掾，修筑塘堤四百多里，百姓都受到水利的好处。

【原文】

淮中有洲，俗号关洲，盖津关①所在，故斯洲纳称焉。《魏书·国志》有曰：司马景王②征毌丘俭，使镇东将军、豫州刺史③诸葛诞④从安风津先至寿春⑤。俭败，与小弟秀藏水草中，安风津都尉⑥部民张属斩之，传首京都，即斯津也。

【注释】

①津关：水陆冲要之处所设的关口。②司马景王：司马师，字子元，河内温县（今河南温县）人，三国时期曹魏权臣，西晋奠基人之一。③刺史：官名，“刺”有检核问事之意。④诸葛诞：字公休，琅玡阳都（今山东沂南）人。三国后期曹魏的重要将领，汉司隶校尉诸葛丰之后，蜀汉丞相诸葛亮的族弟。⑤寿春：位于今安徽寿县。⑥都尉：武官名。赵国将军下依次为国尉、都尉，

秦与汉初，每郡有郡尉，秩比二千石，辅助太守主管军事。

【译文】

淮水的中央有一个沙洲，名叫关洲，大概因为设有水路关口，所以这个洲以此命名。《魏书·国志》记载：司马景王讨伐毌丘俭，派镇东将军、豫州刺史诸葛诞从安风津前去寿春。毌丘俭战败后，和他下属秀躲藏在水草里。最后被安风津的都尉管制下的平民张属杀了，张属把他的头颅传送到京城。这个渡口就是事发之地。

【原文】

汉武帝元朔四年，封长沙定王子刘拾为侯国。王莽之多聚也。蕲水又东南，径蕲县[1]，县有大泽乡。陈涉起兵于此，篝火[2]为狐鸣处也。

【注释】

①蕲县：位于安徽省宿州市，历史文化悠久，古有陈胜吴广起义，后有淮海战役，其中是安徽省发现最早的古城之一。②篝（gōu）火：这里指用竹笼罩的火。

【译文】

汉武帝元朔四年，（汉武帝）将这地方封赏给长沙定王的儿子刘拾立为侯国，这个地方被王莽称为多聚。蕲水又往东南方向流经蕲县，县内有一个地方叫大泽乡，陈涉就是在这里起义，（这里）相传也是篝火发出狐叫声的地方。

【原文】

城西二里有公路浦[1]。昔袁术[2]向九江，将东奔袁谭[3]，路出斯浦，因以为名焉，又东径淮阴县故城北，北临淮水。汉高帝六年，封韩信为侯国。王莽之嘉信也。昔韩信去下乡而钓于此处也。城东有两冢：西者，即漂母[4]冢也。周回数百步，高十余丈。昔漂母食信于淮阴，信王下邳[5]，盖投金增陵以报母矣。东一陵即信母冢也。

【注释】

①公路浦：地名。在江苏省淮阴城西。②袁术：字公路，袁绍之弟。③袁谭：字显思，袁绍长子，青州刺史。④漂母：是《史记·淮阴侯列传》中一个漂洗丝絮的老妇人。历代学者多有诗文对其赞颂，历朝官府也纷纷建祠树碑以示褒扬。⑤下邳（pī）：汉代、三国时期地名，在今江苏省邳州市。

【译文】

离城西二里远的地方叫公路浦。从前袁术往东去九江投奔袁谭，途中经过这个水浦，因此被称为公路浦。河水又往东流，经过淮阴县老城的北边，这座城北临淮水。汉高帝六年，（汉高帝）将淮阴县封赏给韩信并立为侯国，这个侯国就是王莽所记载的嘉信。从前韩信下乡时就是在这里垂钓。城的东面有两座墓穴，西边的是漂母墓，坟墓四周各有几百步宽，高十多丈。从前韩信在淮阴时，漂母经常给他送食物，等到韩信在下邳封王时，（韩信）赠送钱财，并为她的坟墓扩建来报答她的恩情。（漂母墓的）东边就是韩信母亲的坟墓。

【原文】

《春秋》：昭公十九年，齐伐莒①，莒子奔纪鄣②。莒之妇人，怒莒子之害其夫，老而托纺焉。取其纑而夜缒③，缒绝，鼓噪，城上人亦噪。莒共公惧，启西门而出，齐遂入纪。

【译文】

①莒（jǔ）：中国周代诸侯国名，在今山东省莒县一带。②纪鄣：古邑名。鄣，一作"障"。③缒（zhuì）：用绳索拴住人或物从上往下放。

【译文】

《春秋》中记载：在昭公十九年，齐国讨伐莒，莒子逃到纪鄣。莒国有个女人恨莒子害死了她的丈夫，年迈之后，她躲在纪鄣的纺织厂。她拿了麻，并在晚上将麻从城头放下，等麻放到头，就打鼓呐喊起来，于是城上的人也跟着呐喊。莒共公被呐喊声吓得从西门逃走，齐国的军队乘机进入纪鄣城内。

# 卷三十一　滍水、淯水、溳水

【原文】

滍水[①]又东迳胡木山，东流又会温泉口。水出北山阜，炎势奇毒，痾[②]疾之徒，无能澡其冲漂，救痒者咸去汤十许步别池，然后可入。汤侧有石铭云：皇女汤，可以疗万疾者也。故杜彦达云：然如沸汤，可以熟米，饮之愈百病。道士清身沐浴，一日三饮，多少自在。四十日后，身中万病愈，三虫[③]死。学道遭难逢危，终无悔心，可以牢神存志。

【注释】

①滍水：今称沙河，发源于鲁山县伏牛山脉主峰尧山，是淮河流域沙颍河水系的一级支流。②痾（kē）：古同“疴”，病。③三虫：小儿三种常见的肠寄生虫病。也指老鼠、苍蝇、蝗虫。

【译文】

滍水往东流经过胡木山，最终在温泉口处与温泉水合二为一。温泉水自北山阜流出，泉水滚烫但有祛毒作用。那些有皮肤病的人不能在泉水涌出处享受温泉的洗礼，他们如果想要减缓自己的皮肤问题，必须进入离温泉十来步的另一口池中，才能进入温泉水。温泉旁立有石碑，上面写着：皇女汤，可以治疗数百种疾病。所以杜彦达说：喝了可以将生米煮成熟饭的沸水，就能够治疗百病。道士在这水中沐浴，一天喝多次水，每次喝多少自己决定，持续四十天后，身上所有的病痛都可以痊愈，体内也不会有寄生虫了。有些人在学习的道路上遇到挫折，（泡了温泉水之后，）不会退缩后悔，这说明温泉水还可以坚定人们的意志和精神。

【原文】

水南，有汉中常侍[①]、长乐太仆[②]吉成侯州苞[③]冢。冢前有碑，基西枕[④]冈城，开四门，门有两石兽。坟倾墓毁，碑兽沦移。

人有掘出一兽，犹全不破，甚高壮，头去地减一丈许。作制甚工，左膊上刻作辟邪⑤字。门表⑥壍⑦上起石桥，历时不毁。其碑云：六帝四后，是谘⑧是诹⑨。盖仕自安帝，没于桓后⑩。于时阍阉⑪擅权，五侯⑫暴世，割剥公私，以事生死。夫封者表有德，碑者颂有功，自非⑬此徒，何用许为？石至十春，不若速朽，苞墓万古，只彰诮辱⑭，呜呼！

【注释】

①中常侍：西汉时皇帝近臣，给事左右，职掌顾问应对，是仅有虚衔的加官。②长乐太仆：西汉官名，刘邦为帝时居住长乐宫，以后的皇帝移居未央宫，长乐成为太后的寝宫。太后的长乐宫中，仿中央诸卿，设有长乐卫尉、长乐太仆、长乐少府、长乐司马和长乐户将等官。③州苞：人名，《后汉书》作“州辅”。④枕：靠近，接近。⑤辟邪：古代传说中能辟御妖邪的神兽，似鹿而长尾，有两角。⑥表：外。⑦壍（qiàn）：同“堑”，坑，壕沟。⑧谘（zī）：同“咨”，跟别人商量。⑨诹（zōu）：商量，咨询。⑩桓后：东汉皇帝刘志。后，皇帝。⑪阍阉（hūn yān）：宦官。⑫五侯：汉桓帝时同时封侯的五人：新丰侯单超、武原侯徐璜、上蔡侯左倌（guàn）、东武阳侯具瑗、汝阳侯唐衡。⑬自非：如果不是。⑭诮辱（qiào rǔ）：嘲讽耻辱。

【译文】

滍水南岸是汉中常侍长乐太仆吉成侯州苞墓，墓前有墓碑，墓穴西边靠着冈城，坟墓开了四座门，每座门的门口有两座石兽像。坟墓已经塌毁，墓前的墓碑和石兽也消失不见了。曾经有人挖到一头石兽，石兽完好无缺，样子雄伟魁梧，但是它的头部离地大约不到一丈，并且左边的前腿上还刻了“辟邪”，可见雕工非常细致。墓门外建了石桥，经历很长时间都没有被摧毁。墓碑上解释说：曾经有六位皇帝，四位皇后，向墓主人咨询或听取意见。（墓主人在）安帝时期进入朝堂，死于桓帝执政时期。当时宦官掌握权势，五个郡侯欺辱百姓，他们通过剥削公私财物来满足自己在生前或死后的贪欲。封赏侯爵是为了表彰那些有美德的人，给那些有功劳的人立碑，而其他（没有美德和功劳）的人怎能得到这样的待遇呢？这样没有意义的墓碑与其让其留存，还不如尽早摧毁。而这州苞墓如果保存到千秋万代，就更显得可笑可耻了啊！

【原文】

滍水又东南迳昆阳县故城北。昔汉光武与王寻①、王邑②战昆阳，败之。走者相腾践，奔殪③百余里间。会大雨如注，滍川盛溢，虎豹皆股战。士卒争赴，溺死者以万数，水为不流。王邑、严尤④、陈茂⑤轻骑，皆乘尸而度矣。

【注释】

①王寻：青州刺史。②王邑：新朝大司空、军事将领。③殪（yì）：跌倒。④严尤：字伯石，庄君平的远房玄孙，与王莽共读于长安敦学坊，著《三将》。⑤陈茂：周隋时期大臣。

【译文】

滍水又往东南流，经过昆阳县老城的北面。从前汉光武帝与王寻、王邑在昆阳作战并且打败了他们。败兵逃跑时，（因为慌乱）发生踩踏，这导致百余里都是败兵（跌倒被踩踏）的躯体。又碰上大雨，水平面急剧上涨，连虎豹看到都瑟瑟发抖。而士兵们却争先恐后奔向河中想渡水而过，因而数万人溺死了，（士兵的尸体）把河水都堵塞了。王邑、严尤、陈茂骑在马上，踩着尸体渡河。

【原文】

关水历雉衡山①西南，迳皇后城西。建武元年，世祖遣侍中傅俊②，持节迎光烈皇后③于淯阳④。俊发兵三百余人，宿卫皇后道路，归京师。盖税舍所在，故城得其名矣。山有石室，甚饰洁，相传名皇后浴室，又所幸也。

【注释】

①雉衡山：在河南南召县东，本名衡山，今天的鹿鸣山，接方城县界。②傅俊：字子卫，颍川郡襄城人，原为襄城的亭长，刘秀起兵之后，投奔刘秀，因此被灭族。③光烈皇后：光烈阴皇后，阴氏，讳丽华，东汉光武帝刘秀的原配妻子和第二任皇后，南阳新野（河南省新野县）人，父为宣恩哀侯阴陆，母邓氏。其家族相传是管仲之后裔。④淯阳：属南阳郡，故城在今南阳市南，淯

水之阳。

【译文】

关水往难衡山西南方向奔涌，途中流经皇后城西。建武元年，世祖派遣侍中傅俊持着符节，在淯阳县迎接光烈皇后的到来，傅俊率兵好几百人，一路保护皇后安全，直至抵达京城。大概皇后途中曾在此处小憩，所以这座城叫皇后城。山上有个石洞，装饰简洁，也是她曾经到过的地方，传说是皇后的浴室。

【原文】

水南道侧有二石楼，相去六七丈，双跱①齐竦②，高可丈七八，柱圆围二丈有余，石质青绿，光可以鉴。其上栾栌③承栱④，雕檐四注，穷巧绮刻，妙绝人工。题言：蜀郡太守姓。王，字子雅，南阳西鄂人，有三女无男，而家累千金。父没当葬，女自相谓曰：先君生我姊妹，无男兄弟，今当安神玄宅，翳灵后土，冥冥绝后，何以彰吾君之德？各出钱五百万，一女筑墓，二女建楼，以表孝思。铭云：墓楼东，平林下，近坟墓。而不能测其处所矣。

【注释】

①跱（zhì）：站立。②竦：恭敬，肃敬。③栾栌（luán lú）：屋中柱顶承梁之木。曲者为栾，直者为栌。④栱：是中国古代建筑一种独特的结构——斗拱结构中的一种木质构件，置于坐斗口内或跳上与建筑物正面平行的上弯弓形木。

【译文】

洱水南岸的路旁有两座石楼，石楼相距六七丈，并排恭敬地站立，每座石楼高一丈七八尺，四周环绕着柱子，（柱子）长大约二丈。石头呈青绿色，光彩可见。石柱上的斗拱被承托起来，雕檐向四周倾斜，雕刻细腻，做工精巧达到极致。题记中记载：蜀郡的太守姓王，字子雅，是南阳西鄂人，只有三个女儿却没有儿子，家财万贯。父亲死后安葬时，女儿们讨论："父亲只生我们三个姐妹，没有兄弟。现在他的灵魂要在墓穴安睡，靠大地保佑，死后没有后代，怎么来彰显我们父亲的美德呢？”于是每人出了五百万钱财，一个女儿建造坟墓，两个女儿各自修建石楼，以此来表达自己的孝心和思念。墓碑上的墓志铭说：坟墓靠近石楼东边的树林下。但墓址的确切方位已无处可寻。

【原文】

城侧有范蠡祠。蠡，宛人，祠即故宅也。后汉末有范曾，字子闵，为大将军司马，讨黄巾贼①，至此祠，为蠡立碑，文勒可寻。夏侯湛②之为南阳，又为立庙焉。城东有大将军何进③故宅，城西有孔嵩旧居。嵩字仲山，宛人，与山阳范式有断金契④。贫无养亲，赁⑤为阿街⑥卒，遣迎式，式下车把臂曰：子怀道卒伍，不亦痛乎！嵩曰：侯嬴⑦贱役晨门，卑下之位，古人所不耻，何痛之有？故其赞曰：仲山通达，卷舒无方，屈身厮役，挺秀含芳。

【注释】

①黄巾贼：是指是中国东汉末年最大的一次由张角等人领导的农民叛乱，也是中国历史上规模最大的一次宗教形式组织的暴动，史称黄巾之乱。②夏侯湛：字孝若，沛国谯县（今安徽亳州）人，西晋文学家。③何进：字遂高，南阳宛县（今河南南阳）人，东汉灵帝时大将军。何进的异母妹有宠于灵帝并被立为皇后，他也随之升迁。④断金契：深厚的交情。⑤赁（lìn）：被雇佣为。⑥阿（hē）街：犹言喝道，封建时代官员出门时，前面引路的差役喝令行人让路，表示威风。阿，通“诃”。⑦侯嬴：战国时期魏国人。最初为一个城门看守，直到七十岁才被信陵君奉为上宾。

【译文】

城边有范蠡的宗祠。范蠡，宛人，宗祠就是他的故居。后汉末年，有个叫范曾的人，字子闵，担任大将军司马这一职务，征讨黄巾贼时到过这个宗祠，还为范蠡立碑纪念，碑上的文字还隐约可见。夏侯湛担任南阳太守时，为他立庙留念。城的东面有大将军何进的故宅，城的西面是孔嵩的旧居。孔嵩字仲山，宛人，与山阳的范式有很深的交情。当时孔嵩家庭贫穷，很难供养父母，（于是孔嵩）被雇佣为喝道的兵丁，被派去迎接范式。范式下车挽着他的胳膊说：“你心有道义，却被迫沦为兵卒，实在心痛！”孔篙回答说：“侯嬴曾经当过监门的贱役，掌管城门开闭。古人都不以卑下的职位为耻，我现在的职位又有什么可痛惜的呢？”所以人们称赞孔篙说：仲山生性豁达不被拘束，性格能屈能伸，能委身当仆役，如此高风亮节。

【原文】

涢水又南迳石岩山北，昔张昌作乱，于其下笼彩凤以惑众。晋太安二年，镇南将军刘弘遣牙门皮初，与张昌战于清水。昌败，追斩于江涘。

【译文】

涢水又往南奔流，流经石岩山的北面。从前张昌作乱时，在山下用笼子关了一只彩色的凤凰来迷惑百姓。晋太安二年，镇南将军刘弘派遣牙门皮初，与张昌作战于清水，打败了张昌，追赶到江边将他杀害。

【原文】

富水又东入于涢。涢水又迳新城南。永和五年，晋大司马桓温筑。涢水又会温水，温水出竟陵之新阳县东泽中。口径二丈五尺，垠岸重沙，端净可爱。靖以察之，则渊泉如镜；闻入声，则扬汤奋发，无所复见矣。其热可以焊[①]鸡。洪浏百余步，冷若寒泉。

【注释】

①焊（xún）：用火烧熟。

【译文】

富水又往东流，最终注入涢水，涢水又流经新城的南边。永和五年，晋大司马桓温筑。涢水又与温水汇合。温水发端于竟陵新阳县东边的沼泽中，口径有二丈五尺，水岸上是一层层的沙，端净好看，在岸边细看，深泉就像一面镜子；听泉水流入的声音，像沸腾的热水，直到再也看不到。泉水热到可以煮鸡，而温水百余步外的清泉，却冷得像冰水一样。

# 卷三十二　漻水、肥水、施水、梓潼水

【原文】

水源东出大紫山，分为二水。一水西迳厉乡南，水南有重山，即烈山也。山下有一穴，父老相传，云是神农所生处也，故《礼》谓之烈山氏。水北有九井，子书[①]所谓神农既诞，九井自穿，谓斯水也。又言汲一井则众水动，井今堙塞，遗迹仿佛存焉。

【注释】

①子书：古代图书四部分类法的一类书，如《老子》《墨子》《荀子》《韩非子》等书。

【译文】

（赐）水的源头是东边的大紫山，河水分为两条支流。一条西流经过厉乡南边，水的南岸有许多山，这些山被称为烈山。山下有一个洞穴，据老人们说，神农氏就是诞生在这个地方，所以《礼》这本书中也称神农氏为烈山氏。水的北岸有九口井，一些子书中记载：神农出生后，九口井不用凭借人力就自然形成。说的就是这条河水。又有人说如果在一口井中喝水，那全部井中的水也会跟着荡漾起来。现在所有的井都被掩埋堵塞，但仍然可以看到一点痕迹。

【原文】

湖北对八公山，山无树木，惟童阜[①]耳。山上有淮南王刘安庙。刘安是汉高帝之孙，厉王长子也。折节下士，笃好儒学，养方术[②]之徒数十人，皆为俊异焉。多神仙秘法鸿宝之道。忽有八公，皆须眉皓素，诣门希见。门者曰：吾王好长生，今先生无住衰之术，未敢相闻。八公咸变成童，王甚敬之。八士并能炼金化丹，出入无间，乃与安登山，薶金于地，白日升天。余药在器，鸡犬舐[③]之者，俱得上升。其所升之处，践石皆陷，人马迹存焉。

故山即以八公为目。余登其上，人马之迹无闻矣，惟庙像存焉。庙中图安及八士像，皆坐床帐如平生。被服纤丽，咸羽扇裙帔，巾壶枕物，一如常居。庙前有碑，齐永明十年所建也。山有隐室石井，即崔琰所谓：余下寿春，登北岭淮南之道室，八公石井在焉。

【注释】

①童阜：光秃的土山。②方术：道术前身，是术数和方技的统称。包括两种意思，一是指关于治道的方法，二是指中国古代用自然的变异现象和阴阳五行之说来推测、解释人和国家的吉凶祸福、气数命运的医卜星相、遁甲、堪舆和神仙之术等的总称。③舐（shi）：舔。

【译文】

湖泊的北边是八公山，山上没有一棵树木，只有光秃的土山，山上面建有纪念淮南王刘安的庙宇。刘安是汉高帝的孙子，也是厉王的长子，他招贤纳士、心怀若谷，十分敬仰儒家的学说。他收罗了几十个擅长方术的出众人才，他们个个都是身怀绝技的才俊，拥有许多宝贵的典籍。有一天，忽然来了八位白发老者，身着朴素，到门前求见刘安。守门人说：我们大王想要长生不老，如今各位看起来并没有不老之术，我们也不敢通报。八位老者听完后，摇身一变成了孩童，（淮南）王见后十分敬重他们。八位术士都擅长炼丹，（与刘安）同进同出、形影不离，十分亲密；他们一同登山，在山上埋下黄金，等到太阳升起后就下山离开。那些舔过他们留在器皿里的仙药的鸡犬们，全部都升天了。他们升天的地方，人们还可以看到他们踏过的岩石全部陷落，周围还有人走过的痕迹，所以这座山就被称为八公山。我曾经爬过这座山，但人马留下的痕迹都已消失，只能在庙里看到刘安和八位术士的雕像。这些雕像都像他们在时一样，身穿华丽的衣裳，坐在挂了帘子的坐榻上，手拿着羽毛扇，身穿衣裙，（身边摆放着）手巾、水壶、枕头等物品，就像还在此处生活一样。寺庙前有碑文，立于齐永明十年。山上有暗室和石井，崔琰说：我到寿春时，登上北岭淮南王修道的静室，发现八公石井还在。说的就是这些遗迹。

【原文】

施水自成德，东迳合肥县城南，城居四水中，又东有逍遥津①，水上旧有梁。孙权之攻合肥也，张辽败之于津北，桥不撤者两版。权与甘宁蹴②马趋津，谷利③自后著鞭助势，遂得渡梁。凌统④被铠落水，后到追亡，流涕津渚。

【注释】

①逍遥津：又名"窦池""斗鸭池"，古为淝水上的津渡，位于安徽省合肥市旧城东北角。②蹴（cù）：踏。③谷利：三国吴人。原为孙权的奴隶，后为孙权左右给事、亲近监，因秉性忠果亮烈，言不苟且而受孙权宠信。④凌统：字公绩，吴郡余杭人，三国时东吴骁将，破贼校尉凌操之子。

【译文】

施水从成德向东流经合肥县城南，县城坐落在水中央，往东是逍遥津，从前水上有一座桥。孙权攻打合肥时，在这座桥的桥北被张辽打败，现在还有两截木桥的木板在那儿。那时孙权和甘宁骑马奔向桥头，谷利在后面死死追赶，这才冲过桥梁。凌统身披铠甲掉到水里，随后而来的下属们在渡头水边痛哭，以此悼念死去的凌统。

【原文】

故广汉郡，公孙述改为梓潼郡。刘备嘉霍峻守葭萌①之功，又分广汉以北，别为梓潼郡。以峻为守。县有五女，蜀王遣五丁迎之。至此，见大蛇入山穴，五丁引之，山崩，压五丁及五女，因氏山为五妇山，又曰五妇候。驰水所出，一曰五妇水，亦曰潼水也。

【注释】

①葭萌：古县名，古苴侯国，蜀王封其弟葭萌为苴侯，秦置县因以为名。治所在今四川广元西南。

【译文】

小广魏酒是以前的广汉郡，后来被公孙述改名为梓潼郡。刘备为了奖赏霍峻坚守霞萌的功劳，就把广汉以北的地区划分出去，建立了梓潼郡，派霍峻担任太守。蜀王派遣五个士兵去迎接县里的五位姑娘，到这里后，他们看见一条大蛇爬进山洞，五个士兵想要去拖住它，山却因此崩塌了，于是五个士兵和五位姑娘都被压在山下，因此这座山叫作五妇山，又叫五妇候。驰水就发源于这里，这水又被称为五妇水，也名潼水。

## 卷三十三　江水

【原文】

江入郫江①、捡江②以行舟。《益州记》③曰：江至都安④，堰⑤其右，捡⑥其左，其正流⑦遂东，郫江之右也。因山颓水，坐致竹木⑧，以溉诸郡。又穿羊摩江⑨、灌江，西于玉女房⑩下白沙邮⑪，作三石人，立水中。刻要⑫江神，水竭不至足，盛不没肩。是以蜀人旱则藉以为溉，雨则不遏其流。故《记》曰：水旱从人⑬，不知饥馑，沃野千里，世号陆海⑭，谓之天府也。邮在堰上，俗谓之都安大堰。亦曰湔堰，又谓之金堤。左思《蜀都赋》云：西逾金堤者也。诸葛亮北征，以此堰农本，国之所资，以征丁千二百人主护之，有堰官。益州刺史皇甫晏至都安，屯观坂。从事何旅曰：今所安营，地名观坂，上观下反，其征不祥。不从，果为牙门张和所杀。

【注释】

①郫（pí）江：任乃强认为即今之毗河。在今四川境内，自都江堰市分岷江东流，经郫县至成都，与锦江合。②捡江：在今四川省境内。③《益州记》：书名，不详著者。即下文的《记》。④都安：古县名，三国蜀置，治今四川省都江堰市东。⑤堰：拦河蓄水大坝。⑥捡（liǎn）：通“敛”，收敛。⑦正流：主干流。⑧因山颓水，坐致竹木：凭借山势，把竹木从山上滑落入江水中，随水漂流而至。⑨羊摩江：今羊马河，是分外江（岷江正流）水以灌溉外江以西农田的一条干渠，故云“灌江西”。⑩玉女房：今白沙街西龙溪山崖上。⑪白沙邮：今四川省都江堰市西八里的白沙街。邮，古代传递文书的驿站。⑫刻要：雕刻标

记从而约定某事。⑬从人：顺从人的意愿。⑭陆海：物产富饶之地。陆，高而平的土地。海，万物所出。

【译文】

江水流入郫江、捡江，以便通行。《益州记》中说：大江流到都安这个地方，可以在江的右边修筑堤堰堵水，在江的左边造堤坝控制水流，这样江水的主干就会向东边流淌，这时江水就位于郫江右边。根据山势以及水的流速，将竹木放置在江上，不费力气就能将水引入各个郡县的田中，以便灌溉作物。李冰又想方设法凿穿了羊摩江和灌江之间的土地，并且在西边玉女房下的白沙邮堆了三个石人，使它们立在水中，以镇伏江神。这几个石人在枯水时都不会露出脚，在涨水时不会淹没肩膀。因而蜀人在干旱的时候还有水可以用来灌溉，多雨时也不用费心遏制水流。所以《益州记》中记载：枯水时通过人们的努力，不会出现饥荒现象，沃野千里，被世人称为陆海，又叫天府。邮亭就建在堤堰上，百姓称这个堤堰为都安大堰，也叫湔堰，又称金堤。左思在《蜀都赋》中说：向西越过金堤。指的就是这个堤堰。诸葛亮北征时，认为这个堤堰是农业的命脉，国家应当加以保护。他征集了一千二百名士兵负责保护堤堰，并设堰官这一职位。益州刺史皇甫晏来到都安，屯兵在观坂。随从何旅对皇甫晏说："现在我们扎营的地方叫作观坂，有上观下反的意思，是不祥的征兆。"皇甫晏没有听从他的话，最后果真被牙门张和杀害了。

【原文】

江水又东北迳郫县下，县民有姚精者，为叛夷所杀，掠其二女。二女见梦其兄，当以明日自沉江中，丧后日当至，可伺候之。果如所梦，得二女之尸于水，郡县表异焉。

【译文】

江水又往东北流经郫县境。县里有个叫姚精的人，被叛乱的夷人杀害，并将他的两个女儿掠走。两个女儿托梦给她们的兄长，明日她们将就投江自尽，死去的当天尸体会漂到他们的住所，希望兄长可以在江边守候。果然就像梦中所说的，（她们的兄长）在江中捞到了两个妹妹的尸体，郫县里的人都认为这件事很奇怪。

【原文】

江神岁取童女二人为妇，冰以其女与神为婚，径至神祠劝神酒，酒杯恒澹澹[①]，冰厉声以责之，因忽不见。良久，有两牛斗于江岸旁，有间，冰还，流汗，谓官属曰：吾斗大亟[②]，当相助也。南向腰中正白者，我绶[③]也。主簿刺杀北面者，江神遂死。蜀人慕其气决，凡壮健者，因名冰儿也。

【注释】

①恒澹澹：泛起一丝丝波纹。②亟（jí）：尽。③绶（shòu）：丝带。

【译文】

江神每年都会娶两个年轻的女孩为妻，李冰将自己的女儿嫁给江神，在婚礼上，李冰直接走进江神的宗祠，希望江神能一同饮酒。但江神推开酒杯拒绝了，使酒水泛起一丝丝波纹。李冰大声苛责江神，之后就忽然不见了。过了很久，江岸边出现两条正在相互打斗的牛，一会儿，李冰便满身大汗地归来了，他对下属说："我斗得已经没有力气了，你们应该过来帮助我。南边的那头腰间为纯白色的牛，我系上了丝带。"于是主簿就去刺杀北边的那头牛，江神就死掉了。蜀人佩服他的胆量和坚决，因此把那些健壮的人都称为冰儿。

【原文】

言锦工织锦，则濯之江流，而锦至鲜明，濯以他江，则锦色弱矣。遂命之为锦里也。蜀有回复水，江神尝溺杀人。文翁[①]为守，祠之，劝酒不尽，拔剑击之，遂不为害。江水东迳广都县，汉武帝元朔二年置，王莽之就都亭也。李冰识察水脉，穿县盐井。江西有望川原，凿山崖度水，结诸陂池，故盛养生之饶，即南江也。又从冲治桥北折曰长升桥。城北十里曰升仙桥，有送客观。司马相如将入长安，题其门曰：不乘高车驷马[②]，不过汝下也。后人邛蜀[③]，果如志焉。李冰沿水造桥，上应七宿[④]。故世祖谓吴汉[⑤]曰：安军宜在七桥连星间，汉自广都，乘胜进逼成都，与其副刘尚南北相望，夹江为营，浮桥相对。公孙述[⑥]使谢丰扬军市桥，出汉后，袭破汉，坠马落水，缘[7]马尾得出。入壁，命将夜潜渡江就尚，击丰，斩之于是水之阴[8]。

【注释】

①文翁：名党，字仲翁，庐江舒人（今属安徽舒城），西汉循吏。②驷马：指驾一车之四马。也指指显贵者所乘的驾四匹马的高车。表示地位显赫。③邛（qióng）：古地名，在今中国四川省西昌市。蜀与邛同义。④七宿：天上的北斗七星。⑤吴汉：字子颜，南阳宛县（今河南省南阳市）人，东汉开国名将、军事家。⑥公孙述：字子阳，扶风茂陵（今陕西兴平）人。⑦缘：拉着，沿着。⑧阴：南岸。

【译文】

传说织坊工人将丝布织成锦缎后，把锦缎放在这条江水里洗涤，锦缎的颜色会愈发明艳；如果放在别的江里洗涤，锦缎就会褪色，于是人们为这条江取名锦里。蜀郡里有一条河，名为回复水，曾经有人在水中溺死。文翁任蜀郡太守后，修建祠庙祭祀江神，他为江神倒酒并邀其共饮，但江神却不饮尽杯中的酒，文翁拔剑袭击他，之后江神再也不敢害人了。江水往东流经广都县。广都县是在汉武帝元朔二年时设立的一个县城，也是王莽提到的就都亭。李冰善于观察水脉，县里的盐井就是他凿穿的。江的西边有一个平原叫望川原，平原将山岩中开凿的山水引入到一个陂塘里，由此百姓的生活物资非常丰富。这条江被称为南江。江水又从冲治桥方向往北转，有一座桥叫长升桥。城北十里处的一座桥叫升仙桥，有一个道观叫送客观。司马相如将要去长安时，在门上题字说：我不驾车也不骑马，所以坚决不会从你下面走过！后来他到了邛蜀，果然得偿所愿。李冰沿江流修建了七座桥，刚好与天上的北斗七星相映衬，所以世祖对吴汉说：应该把军队放置在连成七星的七座桥梁之间。吴汉乘胜追击，从广都逼进成都，与其副将刘尚南北相互呼应，在江水两岸建立军营隔江相望，通过浮桥连接两支大军。公孙述派遣谢丰在市桥这个地方炫耀自己的军队，自己前去偷袭吴汉的阵地，吴汉落马掉到水中，幸亏拉住马尾才爬上了岸。他进入军营，命令将士们乘着夜色偷偷潜水，渡江与刘尚会合，一起攻打谢丰，将其斩杀在江水的南岸。

【原文】

汉武帝感相如之言，使县令南通僰道[①]，费功无成。唐蒙南入，斩之，乃凿石开阁，以通南中。迄于建宁，二千余里。山道广丈余，深三四丈，其錾凿[②]之迹犹存。王莽更曰僰治也。山多犹猢[③]，似猴而短足，好游岩树，一腾百步，或三百丈。顺往倒返，乘空若飞。县有蜀王兵兰[④]，其神作大难，江中崖峻阻险，不可穿凿。李冰乃积薪烧之，故其处悬岩，犹有五色焉。赤白照水，玄黄鱼从僰来，至此而止，言畏崖屿，不更上也。

【注释】

①僰（bó）道：古县名，今四川宜宾县西南安边镇。②錾（zàn）凿：凿，刻。③犹猢：兽名，即犹。④兰：通“栏”，围栏。

【译文】

汉武帝听取了司马相如的意见，派遣县令去向南开通前往僰道的道路，但是耗费巨大的劳力也没能成功。唐蒙去南边斩杀了县令，然后自己带人凿穿石头开辟栈道，开通去往南中的道路。一直到了建宁年间，栈道一共有两千多里，山上的道路有一丈多宽、三四丈深，现在人们仍然能看到修建的凿痕。王莽将这个地方改名为僰治。山里面有许多犹猢，它们的长相与猴子相似，但脚很短，喜欢在石头和树上玩耍，它们一跃有百步远，有的还可以一跃三百丈，在空中像飞一样敏捷地上蹿下跳。僰道县中有蜀王兵营的围栏，山神无人管束，经常在江中捣乱，江旁的山崖高大险峻，难以开凿，李冰便用大火焚烧，因此悬崖壁上五彩斑斓。崖壁红白相间，倒映在水面变成了黄色或黑色，鱼从僰道县游来，到了这里便停下了，人们都说鱼是因为害怕峭崖和险礁，所以不敢再向前游。

【原文】

先是洛县城南，每阴雨常有哭声，闻于府中，积数十年。沛国陈宠[①]为守[②]，以乱世多死亡，暴骸不葬故也，乃悉收葬之，哭声遂绝。刘备自将攻洛，庞士元[③]中流矢[④]死于此。益州旧以蜀郡、广汉、犍为[5]为三蜀。土地沃美，人士隽乂，一州称望。县有沈乡，去江七里，姜士游[6]之所居。诗至孝，母好饮江水，嗜[7]鱼脍[8]，常以鸡鸣溯流汲江。子坐，取水溺死，妇恐姑[9]知，称托游学，冬夏衣服，实投江流。于是至孝上通，涌泉出其舍侧，而有江之甘焉。诗有田，滨江泽卤[10]，泉流所溉，尽为沃野。又涌泉之中，旦旦常出鲤鱼一双，以膳焉。可谓孝悌发于方寸，徽美著于无穷者也。

【注释】

①陈宠：沛国洨县（今安徽固镇）人。②守：太守。③庞士元：庞统，字士远，号凤雏，汉时荆州襄阳（治今湖北襄阳）人。三国时刘备手下的重要谋士，与诸葛亮同拜为军师中郎将。④流矢：流箭。⑤犍为：犍为县隶属四川省乐山市，位于川西平原西南边缘。⑥姜士游：姜诗，字士游。姜诗与其妻庞氏都以孝顺闻名。⑦嗜（shì）：喜欢。⑧脍（kuài）：细切的肉。⑨姑：婆婆。⑩泽卤：低洼地，盐碱地。

【译文】

以前洛县的城南，每逢阴雨天气，衙门中的人常常听见哭声传来，这样的事情持续发生了几十年。沛国陈宠任太守时，他认为这哭声与在乱世时期死亡的人有关，许多人的尸骨被抛弃在野外而得不到安葬。于是将那些死人的尸体全都安葬好，之后就再也没有哭声出现了。刘备亲自带兵去攻打洛阳，有一个叫庞士元的人被流箭射中，就是死在这里。以前益州的百姓把蜀郡、广汉、犍合称为三蜀，这些地方土地肥沃，人才辈出，在一洲享有很高的声誉。县里有一个叫沈乡的地方，与江水相距七里，是姜士游居住过的地方。姜诗非常孝顺，因为他的母亲喜欢喝江中的水以及吃薄鱼片，因此他时常天一亮就去江边取上游的水。姜诗的儿子姜坐在打水时掉进江里淹死了，他的妻子担心自己的婆婆知道后会扛不住，就假称姜坐外出游学，每年给儿子做的冬夏衣服，其实都扔入江中了。他们至诚的孝心感动了上天，然后有泉水从他们的屋舍旁涌了出来，这泉水同江水一样甘甜。姜诗在江边有一些盐碱地，但经过泉水的浇灌后，变得肥沃起来。另外，在泉水中，每天都有一对鲤鱼出现，为他们提供食物。这就是所谓的孝悌之心要发自肺腑，美德的典范就会流芳百世。

【原文】

昔世祖微[①]时，过江阳县[②]，有一子。望气[③]者言，江阳有贵儿象，王莽求之，而獠杀之。后世祖怨，为子立祠于县，谪其民，罚布数世。扬雄《琴清英》曰：尹吉甫[④]子伯奇[⑤]至孝，后母谮[⑥]之，自投江中，衣苔带藻，忽梦见水仙，赐其美药，思惟养亲，扬声悲歌。船人闻之而学之。吉甫闻船人之声，疑似伯奇，援琴作《子安之操》。

【注释】

①微：贫困。②江阳县：西汉景帝六年（前151）设江阳侯国（今泸州市江阳区），后为江阳县。③望气：风水学术语。指术数中认为穴中有气，高明的大师可以望见穴气。④尹吉甫：周宣王的大臣，官至内史，据说是《诗经》的主要采集者，军事家、诗人、哲学家，被尊称为中华诗祖。⑤伯奇：尹吉甫的长子。⑥谮（zèn）：说别人的坏话，诬陷，中伤。

【译文】

从前世祖贫困的时候，经过江阳县，他当时带着一个儿子。望气的人说江阳县会有贵人出现，王莽便派人去寻找并杀害了贵人。这个贵人便是世祖的儿子，世祖对此事怀恨在心，在县城为儿子修建宗祠，谴责当地的百姓，让他们几代人都要承受罚布的惩罚。扬雄在《琴清英》中解释说：尹吉甫的儿子伯奇非常的孝顺，受到后妈的陷害后投江自尽，沉入水中后身上缠满了青苔和水草。他忽然梦见水仙将良药赠送给他，立刻想要将神药拿回去孝顺父母，想到这便伤心的放声高歌。船夫听到歌声便学着唱，尹吉甫听到船夫的歌声，觉得这很像伯奇的心声，就拿琴弹了一曲《子安之操》。

# 卷三十四　江水

【原文】

《山海经》曰：夏后启[1]之臣孟涂，是司神于巴。巴人讼于孟涂之所，其衣有血者执之。是请生，居山上，在丹山[2]西。郭景纯云：丹山在丹阳[3]，属巴。丹山西即巫山者也。又帝女居焉。宋玉所谓天帝之季女，名曰瑶姬，未行[4]而亡，封于巫山之阳。精魂为草，实为灵芝。所谓巫山之女、高唐之阻[5]。旦为行云，暮为行雨[6]，朝朝暮暮，阳台之下。旦早视之，果如其言，故为立庙，号朝云焉。

【注释】

①启：夏朝的国君，建立了我国历史上第一个奴隶制政权。②丹山：巫山。③丹阳：今湖北省秭归县东南。④行：出嫁。⑤高唐之阻：一作“高唐之姬”。⑥行雨：游移的雨滴。

【译文】

《山海经》中说：夏启有个臣子叫孟涂，在巴这个地方做了司法之神，巴人到孟涂的住处投诉逆贼，孟涂根据线索，抓来那些衣服上有血迹的人进行排查，决不滥杀无辜。他住在丹山西面的山上。郭景纯解释说：丹山位于丹阳地带，隶属于巴郡。丹山的西面就是巫山。另外，宋玉所提到的天帝的小女儿瑶姬，也就是赤帝的女儿也居住在这里。瑶姬尚未成婚就死了，死后被安葬在巫山的南面，她的魂魄幻化成草，身体化为灵芝。这就是所谓的巫山之女。她居住在高山险阻之地，早上是飘荡的云朵，晚上则是滴落的雨水，日日夜夜都在阳台的下面。次日清晨，楚王起来一看，果然如人们所说的那样，于是就为她修建庙宇，号为朝云。

【原文】

江水又东径石门滩。滩北岸有山，山上合下开，洞达东西，缘江步路所由。刘备为陆逊[①]所破，走迳此门，追者甚急，备乃烧铠断道。孙桓为逊前驱，奋不顾命，斩上夔道，截其要径，备逾山越险，仅乃得免。忿恚[②]而叹曰：吾昔至京，桓尚小儿，而今迫孤，乃至于此。遂发愤而薨矣。

【译文】

①陆逊：本名陆议，字伯言，吴郡吴县（今江苏苏州）人。三国时期吴国重臣，官至丞相、荆州牧、右都护。②忿恚（fèn huì）：愤怒，恼怒。

【译文】

江水又往东流经石门滩，石门滩的北岸有一座山，山的上面是闭合的而下面却是张开的，山下的洞穴东西贯通，人们沿江岸步行，必经此洞穴。刘备大军被陆逊攻破，逃跑的时候经过了这道洞穴，追兵逼得很紧，因此他烧坏自己的铠甲来阻断栈道，阻挡追兵。孙桓给陆逊当前锋，他奋不顾身地追赶，切断了通往夔州的通道。刘备翻山越岭，历经险阻，仅留存了性命。他恼怒地叹息道：想从前我到京城时，孙桓还只是个小孩，谁知今日却将我逼到这个地步！于是他怒火攻心而亡。

【原文】

古楚之嫡嗣有熊挚[①]者，以废疾不立，而居于夔[②]，为楚附庸。后王命为夔子。《春秋》：僖公二十六年，楚以其不祀，灭之者也。袁山松[③]曰：屈原有贤姊，闻原放逐，亦来归，喻令自宽全。乡人冀其见从，因名曰秭归，即《离骚》所谓女媭婵媛以詈[④]余也。县城东北，依山即坂[⑤]，周回二里，高一丈五尺，南临大江。古老相传，谓之刘备城，盖备征吴所筑也。县东北数十里有屈原旧田宅，虽畦[⑥]堰縻漫[⑦]，犹保屈田之称也。

【注释】

①熊挚：原名熊挚红，是楚熊渠的次子。熊绎之来孙，季连的第三十六世孙。②夔（kuí）：夔州，旧府名，府治在今重庆市奉节县。③袁山松：梁武帝评书作袁崧，字不详，陈郡阳夏（今河南太康）人。④詈：用严厉的言辞指责、责骂。⑤坂：山坡，斜坡。⑥畦（qí）：田园中分成的小区，古代称田五十亩为一

畦。⑦縻（mí）漫：指畦堰损碎浸漫。縻，通“靡”。

【译文】

在古代，楚王有一个嫡子叫熊挚，他因身体残疾不能继承王位，楚王让他居住在夔这个地方，夔是楚的附庸国，之后楚王就称他为夔子。《春秋》中说：僖公二十六年，楚国因为夔子不参加祭祀，便灭了夔国。袁山松说：屈原有一个聪慧的姐姐，在听闻屈原被放逐的消息后，赶忙回来同他一起承担并且劝慰他，乡里人也都希望屈原能听他姐姐劝慰，因此那个地方被称为为秭归；这就是《离骚》中所写的：女媭一边依依不舍地牵着我，一边又责怪我。县城的东北靠着山坡，城墙长二里，高有一丈五尺，南边濒临大江。过去老人们说，这座城之所以被称为刘备城，大概是因为这座城是刘备征讨吴国时修筑的。距离县城东北几十里的地方，有屈原以前的田地和住所，虽然田埂已经被踩踏崩坏，但仍然保持着屈田这一称呼。

【原文】

城东北有望堂，地特峻，下临清江，游瞩之名处也。县北有女观山，厥处高显，回眺极目。古老传言，昔有思妇，夫官于蜀，屡愆①秋期②。登此山绝望，忧感而死；山木枯悴，鞠③为童枯④。乡人哀之，因名此山为女观焉。葬之山顶，今孤坟尚存矣。

【注释】

①愆（qiān）：耽误。②秋期：谓男女相约聚会的日期。③鞠（jū）：弯曲。④童枯：光秃枯竭。

【译文】

城的东北面有一座望堂，其地势高峻，下面是澄清的江流，是游玩的名胜之地。县北有一座女观山，坐落在高旷之处，视野开阔，可以眺望极远的地方。据古老的传言说，从前有个思念丈夫的女人，她的丈夫在蜀地做官，多次推延回家的日期，每次她想念丈夫的时候，便登上这座山远眺，盼望看到丈夫的身影，最终因为忧思过度而死。她死后山上的树木也跟着枯萎而死，这座山也就成了一座秃山。乡亲们为了悼念她，因此将这座山称为女观山，并将其安葬在山顶，她的孤坟至今还留存在山上。

【原文】

县东南二十里富城洲上有道士范侪精庐[1]。自言巴东人，少游荆土，而多盘桓县界。恶衣粗食，萧散自得。言来事多验，而辞不可详。人心欲见，欻然[2]而对；貌言寻求，终弗遇也。虽径跨诸洲，而舟人未尝见其济涉也。后东游广陵，卒于彼土。侪本无定止处，宿憩一小庵而已。弟子慕之，于其昔游，共立精舍，以存其人。

【注释】

①精庐：学舍，读书讲学之所；佛寺，僧舍。此为第二种意思。②欻（xū）然：快速的样子。

【译文】

离县城东南二十里处是富城洲，这洲上有道士范侪的屋舍。范侪自称是巴东人士，少年时期游历荆州，大部分时间都在该县边境一带来往，他衣衫褴褛，粗茶淡饭，但是生活却悠然自得。他对未来之事的预言，常常会得到应验，但言辞总是晦涩难懂。如果人们真心诚意想见他，他就会出现在人们眼前，倘若没有诚意，便见不到他。虽然他经常来往于各个沙洲之间，但是船夫们从来没有见过他渡水。之后他去东边的广陵游历，就死在了广陵。范侪原本没有固定的住所，只是在一些小的道庵中睡觉罢了。那些仰慕他的弟子为了纪念他，就在他以前游历过的地方修建了道院。

【原文】

汉景帝二年，改为江陵县[1]。王莽更名，郡曰南顺，县曰江陆。旧城，关羽所筑。羽北围曹仁，吕蒙袭而据之。羽曰：此城吾所筑，不可攻也。乃引而退。杜元凯之攻江陵也，城上人以瓠[2]系狗颈示之，元凯病瘿[3]故也。及城陷，杀城中老小，血流沾足。论者以此薄[4]之。江陵城地东南倾，故缘以金堤，自灵溪始。桓温[5]令陈遵[6]造。遵善于方功，使人打鼓，远听之，知地势高下，依旁创筑略无差矣。

【注释】

①江陵县：隶属湖北省荆州市，位于湖北省中南部，地处江汉平原腹地、长江中游荆江北岸。②瓠：一种生草本植物，茎蔓生，夏天开白花，果实长圆形，嫩时可食。③病瘿（yǐng）：长了瘤子。④薄（bó）：看不起，贬低。⑤桓温：字元子（一作符子），东晋权臣。⑥陈遵：字孟公，杜陵（今陕西西安）人。

【译文】

汉景帝二年，这个地方改名为江陵县，之后王莽把郡名改为南顺，县名改为江陆。以前的这座城市是关羽修筑的。吕蒙趁着关羽北上围剿曹仁的时候，带兵偷袭并占据了江陵。关羽对吕蒙说：这座城市是我建筑的，你不可以进攻。吕蒙听后便带兵出城了。杜元凯攻打江陵的时候，城上的人见他脖子上长了一个瘤，就把葫芦绑在狗的脖子上，借此来嘲笑他。等到城池被攻破后，他把城中的老人小孩全都杀了，血漫了整座城，走路都会浸湿脚，人们讨论此事，都认为杜元凯这个人没有气量。江陵城地势大致向东南倾斜，因此自灵溪开始沿岸都修建了金堤。这道金堤是陈遵奉桓温的命令修建的。陈遵善长方技之术，他让别人打鼓，自己站在远处听着，就能判断出地势的高低，修筑的堤岸没有丝毫差错。

## 卷三十五　江水

【原文】

洲里有驾部口，宋景平二年，迎文帝于江陵，法驾[①]顿此，因以为名。文帝车驾发江陵，至此黑龙跃出，负[②]帝所乘舟，左右[③]失色。上谓长史[④]王昙首[⑤]曰，乃夏禹所以受天命矣，我何德以堪[⑥]之？故有龙穴之名焉。

【注释】

①法驾：天子车驾的一种。车驾分大驾、法驾、小驾三种，其仪卫之繁简各有不同。②负：背负。③左右：身边的侍从。④长史：官名。战国末年秦已

置，李斯至秦，曾任此官，职责不详。⑤王昙首：人名，琅琊临沂（今山东临沂）人。⑥堪：能，可以，足以。

【译文】

（沙）洲里有一个叫驾部口的地方，宋景平二年，在江陵迎接文帝的车驾就曾在这里休息，因此叫驾部口。文帝的车驾从江陵出发，到这里时，水中飞出一条黑龙，把文帝所乘坐的船背在身上，（文帝）旁边的侍臣大惊失色。文帝对长史王昙首说：当初夏禹就是这样接受上天的任命，但是我何德何能，可以得到这样的待遇呢？因此这个地方被称为龙穴。

【原文】

城南有袁山，即樊山也。《武昌记》曰：樊口南有大姥庙，孙权常猎于山下。依夕，见一姥问权：猎何所得？曰：正得一豹。母曰：何不竖[①]豹尾？忽然不见。

【注释】

①竖：将……倒立或竖起来。

【译文】

城南有一座山叫袁山，也叫作樊山。《武昌记》记载：樊口南边有一座寺庙叫大姥庙，孙权经常在山下射猎。有一天傍晚，他见到一个老妇人，（这个老妇人）问孙权说："你今天猎获了什么呀？"孙权回答说："我今天收获了一头豹子。"老妇人说："你怎么不将豹子的尾巴竖起来呢？"说完就突然不见了。

【原文】

水出阳新县之青湓山，西北流迳阳新县，故豫章之属县矣。地多女鸟[①]。《玄中记》曰：阳新男子于水次得之，遂与共居，生二女，悉[②]衣羽而去。豫章[③]间养儿，不露其衣，言是鸟落尘于儿衣中，则令儿病，故亦谓之夜飞游女矣。

【注释】

①女鸟：传说中的鸟名。②悉：尽，全。③豫章：古代区划名称，大致位于今江西省北部。

【译文】

阳新县的青湓山是富水的发源地，河水往西北方向流经阳新县，以前隶属于豫章的一个县城。附近有许多的女鸟，《玄中记》记载：阳新县曾经有一个男人，和他在水边捉到（的一只女鸟）居住在一起，（女鸟为他）生了两个女儿，这两个女儿等到羽翼丰满后就飞走了。豫章附近的居民抚养孩子，都不让孩子里面的衣服露出来，据说是因为女鸟如果把灰尘掉在孩子的衣服上，会让孩子感染疾病，所以人们也把女鸟称为夜晚飞翔的游女。

【原文】

《尚书》云：江水过九江至于东陵者也。西南流，水积为湖，湖西有青林山。宋太始元年，明帝遣沈攸之[①]西伐子勋[②]，伐栅青山，睹一童子甚丽，问伐者曰：取此何为？答：欲讨贼。童子曰：下旬当平，何劳伐此？在众人之中，忽不复见。

【注释】

①沈攸之：字仲达，吴兴武康（今浙江德清武康镇）人，南北朝时期宋朝名将司空沈庆之堂侄。②子勋：地名，不详。

【译文】

《尚书》记载：江水流过九江到达东陵。往西南方向流去，积聚成为湖泊，湖泊的西边是青林山。宋太始元年，明帝派沈攸之去西边讨伐子勋，为了渡江，他们决定在青林山（砍伐树木，）做成树桩。（在砍伐树木的时候，）沈攸之看到一个十分漂亮的孩子，那个孩子问伐木的工人：你们为什么要砍这些树？工人回答：是为了用来打败贼人。孩子说：下旬就可以平定叛贼了，何必浪费劳力去砍树呢？说完就忽然消失在人群之中。

## 卷三十六　若水、温水

【原文】

若水[①]沿流，间关[②]蜀土。黄帝长子昌意[③]，德劣不足绍承大位，降居斯水，为诸侯焉。娶蜀山氏女，生颛顼于若水之野④。有圣德，二十登帝位，承少皞⑤金官⑥之政，以水德⑦宝历⑧矣。

【注释】

①若水：今雅砻江。②间关：辗转。③昌意：是上古时代汉族传说中的人物，传说他是黄帝和嫘祖的儿子。④颛顼（zhuān xū）：中国上古部落联盟首领，“五帝”之一，号高阳氏，黄帝之孙，昌意之子。⑤少皞：少昊，三皇五帝之一。⑥金官：金正，五行官之一，古代传说中的神。⑦水德：古代阴阳家称帝王受命的五德之一，谓以水德王天下。⑧宝历：指国祚、皇位。

【译文】

若水一路前进，辗转蜀地之中，黄帝的大儿子叫昌意，德行低劣，没有能力继承王位，被发配到若水这个地方，为此地的诸侯。（昌意）迎娶了一个姓蜀山的女孩，之后就在若水边生了一个儿子叫颛顼。颛顼有圣人的操行，于是二十岁就被拥护当上帝王，他继承了先祖少昊的德政，凭借水德登上王位。

【原文】

若水又迳会无县，县有骏马河，水出县东高山。山有天马径，厥①迹存焉。马日行千里，民家马牧之山下，或产骏驹，言是天马子。河中有贝子②，胎铜③，以羊祠之，则可取也。

【注释】

①厥：古同“撅”，掘。②贝子：本品为少常用中药，有白贝齿与紫贝齿两种。③胎铜：一种铜质器物。

【译文】

若水奔流向前，流经会无县，县城里有一条河叫骏马河。县城东边的高山是河水的发源地，高山上有天马行走的道路，现在还可以看到天马行走过的痕迹。天马每天可以行走千里，居民们把马放在山下吃草，如果有马生下健康的小马，就说这（小马）是天马的儿子。骏马河里有贝子和胎铜，想要把它们捞上来就必须用羊祭祀。

【原文】

水出青蛉县西，东迳其县下，县以氏焉。有石猪圻，长谷中有石猪，子母数千头。长老传言，夷昔牧此，一朝化为石，迄今夷人不敢往牧。

【译文】

青岭水发源于青岭县城的西边，水往东流就会经过县城，这座县城因青岭水而得名。县城有一个地方叫石猪圻，深谷中有许多石猪，其中母猪、小猪就有上千条。据县里的老人们说，从前夷人经常在这里牧猪，忽然有一天（这些猪）都变成了石头，所以这些夷人直到现在还不敢来这里牧猪。

【原文】

晋明帝太宁二年，李骧①等侵越巂②，攻台登县，宁州刺史王逊③遣将军姚岳击之，战于堂琅④，骧军大败，岳追之，至泸水，赴水死者千余人，逊以岳等不穷追，怒甚，发上冲冠，帢⑤裂而卒。

【注释】

①李骧：字叔龙，梓潼涪（今四川绵阳东）人，三国时期蜀汉官员。②越巂（xī）：郡名，在今四川西昌东南。③王逊：字邵伯，魏兴（今湖北郧西西）人，西晋将领。④堂琅：古代县名，位于现在的云南省巧家县。⑤帢（qià）：头巾。

【译文】

晋明帝太宁二年，李骧等人攻打越巂，一路进攻，直逼台登县，宁州刺史王逊派将军姚岳对战李骧，两队大军在堂琅进行了一场激战，李骧的军队溃败，被姚岳追杀到泸水，上千人落水而死。王逊因姚岳等人没有对败兵追杀到底，非常生气，气得头发竖起来把帽子顶开，最后头巾也被撑破了，（就这样，王逊一下子）就被气死了。

【原文】

水自永昌县而北迳其郡西，水左右甚饶犀、象，山有钩蛇，长七八丈，尾末有岐①，蛇在山涧水中，以尾钩岸上人、牛食之。此水傍瘴气特恶。气中有物，不见其形，其作有声，中木则折，中人则害，名曰鬼弹。惟十一月、十二月差可渡，正月至十月迳之，无不害人。故郡有罪人，徙之禁旁，不过十日皆死也。

【注释】

①岐：分叉。

【译文】

禁水发源于永昌县，向北流经过郡城西面，河水两岸有许多犀牛、大象；山上有钩蛇，长七八丈，尾端有分叉。钩蛇躲藏在山涧的水中，用分叉的尾巴钩获岸上的人和牛作为食物。禁水附近的瘴气特别浓郁，瘴气中藏了东西，虽然肉眼不可见，但是气体飘散时会发出声音，（这东西）撞到树木，树木就会折断，撞到人，人就会丧命，人们把这种东西叫作鬼弹。只有在十一月、十二月时人们才可以渡河，在正月到十月这一期间，走这条路的人无一幸免于难。所以郡城里如果有犯人，就会把他们流放到禁水附近，没到十天就会死掉。

【原文】

水有孝子石，昔县人有隗叔通者，性至孝，为母给江膂[①]水，天为出平石至江膂中，今犹谓之孝子石，可谓至诚发中，而休应自天矣。

【注释】

①江膂（lǚ）：江的中心。

【译文】

（类）水中有一块石头叫孝子石，从前县城里有一个叫隗叔通的人，他生性极其孝顺，每天都从江中心取水给自己的母亲喝，上天（被他的孝心打动了，）将一块平整的石头延伸到江的中心以便他得到更好的江水。如今这块石头被称为孝子石，这告诉我们如果诚意发自内心，就会得到上天的祝福。

【原文】

长老传言，池中有神马，家马交之，则生骏驹，日行五百里。晋太元十四年，宁州刺史费统[①]言：晋宁郡[②]滇池县两神马，一白一黑，盘戏河水之上。

【注释】

①费统：东晋巴西太守。②晋宁郡：在现在的云南晋宁区昆阳镇。

【译文】

老人们相传，（滇）池中有神马，如果神马与家马交配就会生下骏驹，骏驹能够每天走五百里。晋太元十四年，宁州刺史费统说：晋朝宁郡滇池县有两匹神马，一黑一白，两匹马在河水之上嬉戏。

【原文】

郁水[①]，即夜郎豚水[②]也。汉武帝时，有竹王[③]兴于豚水，有一女子，浣[④]于水滨，有三节大竹流入女子足间，推之不去。闻有声，持归破之，得一男儿。遂雄夷濮[⑤]，氏竹为姓，所捐破竹，于野成林，今竹王祠竹林是也。王尝从人止大石上，命作羹，从者白：无水。王以剑击石出水，今竹王水是也。后唐蒙开牂柯[⑥]，斩竹王首，夷獠咸怨，以竹王非血气所生，求为立祠。帝封三子为侯，及死，配父庙，今竹王三郎祠，其神也。

【注释】

①郁水：汉、魏、南北朝时期的郁水，凡今广西的右江、郁江、得江及广东的西江皆称郁水。②豚水：现在的北盘江。③竹王：就是夜郎王。④浣（huàn）：洗。⑤濮（pú）：曾用于古水名以及古代少数民族等。⑥牂（zāng）柯：郡名，在今贵州省贵阳市附近，一说在福泉市一带。

【译文】

郁水也叫夜郎豚水，汉武帝时期，豚水曾经出现了一个竹王。有一天，有一个女人在水边洗衣服，忽然有三节大竹漂到她的两腿中间，无法推开，（女人）听见竹子里有声音。于是她把竹子拿到家中，切成两半，只见里面躺着一个男孩。这个男孩以竹为姓，就在夷濮地带称雄为王。竹王祠周围的那片竹林，就是曾经被丢弃的破竹生长而来。竹王曾与侍从一起在大石上小憩，他命令侍从们做饭，侍从说，没有水无法做饭。于是竹王用剑捅向岩石，水就从岩石中流出，这就是所谓的竹王水。后来唐蒙拓展牂柯，杀了竹王并砍其首级，（这使）夷獠各族的人都非常怨恨（唐蒙）。因为竹王不是人类的骨血，所以世人要求为他修建宗祠。皇帝封赏他的三个儿子为侯爷，等他们死后，也将他们供奉在竹王的祠庙中，一起被人祭祀。现在的竹王三郎祠，祭奠的就是他们的神灵。

【原文】

有范文，日南西卷县夷帅范椎奴也。文为奴时，山涧牧羊，于涧水中得两鲤鱼，隐藏挟归，规欲私食。郎知捡求，文大慙惧，起托云：将砺石还，非为鱼也。郎至鱼所，见是两石，信之而去。文始异之。石有铁，文入山中，就石冶铁，锻作两刀。举刃向鄣，因祝曰：鲤鱼变化，冶石成刀，斫石鄣[①]破者，是有神灵，文当得此，为国君王。斫不入者，是刀无神灵。进斫石鄣，如龙渊、干将之斩芦藁。由是人情渐附。今斫石尚在，鱼刀犹存，传国子孙，如斩蛇之剑[②]也。椎尝使文远行商贾，北到上国，多所闻见。以晋愍帝建兴中，南至林邑，教王范逸，制造城池，缮治戎甲，经始廓略。王爱信之，使为将帅，能得众心。文谗王诸子，或徙或奔，王乃独立。成帝咸和六年死。无胤嗣。文迎王子于外国，海行取水，置毒椰子中。饮而杀之，遂胁国入，自立为王。取前王妻妾，置高楼上，有从己者，取而纳之；不从己者，绝其饮食而死。

【注释】

①鄣（zhāng）：石头。②斩蛇之剑：是汉高祖刘邦斩白蛇起义时所用的剑。汉朝建立后，斩蛇剑与传国玉玺一起成为汉朝皇帝的至宝，并且将之代代相传。

【译文】

有一个叫范文的人，是日南西卷县夷人首领范椎的奴隶。范文在做奴隶的时候，在山间牧羊，捉到了两条鲤鱼，就想藏起来带回家独享。主人知道这件事后就向他索要，范文害怕受惩罚，就对主人撒谎说：我拿回来的东西是磨石不是鱼。他的主人到藏鱼的地方，果真看见两块石头，信以为真。范文觉得这件事情很奇怪。范文见这两块石头中含有铁质，就去山里将这两块石头冶铁，最终铸成两把刀。他举着刀，对挡在前面的岩石祈祷：鲤鱼变成石头，冶石铸成大刀，如果一刀能够将岩石砍破，就说明刀中有神灵，刀的拥有者，就会成为国王；如果砍不进去，就说明刀中没有神灵。于是他上前（拿着大刀）对着岩石一刀劈了下去，发现刀劈岩石就像用龙渊、干将这样的宝剑砍芦苇枯枝一般轻松。因此拥戴他的人越来越多。现在还可以看到他当年劈过的岩石和鱼刀，他在传位时，把鱼刀也一起传了下去，就像汉高祖斩蛇的宝剑一样。范椎曾派范文到偏远的城市做生意，范文去了北方的上国，开拓了眼界，增长了见识。晋愍帝建兴年间，他前往南方的林邑，帮助国王范逸大修土木兴修城池，冶炼甲胄兵器，扩张国家版图，增强势力。国王非常信任他，人民也拥护他，于是国王想叫他担任将军。范文经常在国王的面前污蔑诽谤（国王）的儿子们，使得皇子们全部被放逐或者潜逃出国，于是国王就真的成了一个孤家寡人。成帝咸和六年，国王驾崩，由于没有后嗣继承皇位，范文就去边疆将被放逐的皇子迎接回来，在回来的船上，偷偷地把毒药放进椰子里，将王子毒死，（回到国都）之后（范文）威胁国人，然后自己坐上国王宝座。他将上一任国王的妻妾都关在高楼上，他迎娶那些肯跟从他的女人，饿死那些反抗他的女人。

## 卷三十七　叶榆河、夷水、沅水

【原文】

县有禺同山，其山神有金马、碧鸡，光景倏忽①，民多见之。汉宣帝遣谏大夫②王褒③祭之，欲致其鸡、马，褒道病而卒，是不果焉。王褒《碧鸡颂》曰：敬移金精神马，缥缥碧鸡。故左太冲④《蜀都赋》曰：金马骋光而绝影，碧鸡倏忽而耀仪。

【注释】

①倏忽（shū hū）：很快地，忽然。②谏大夫：古代官名。③王褒（bāo）：人名，青州北海国营陵（山东潍坊市西南）人。④左太冲：左思，字太冲。

【译文】

青岭县里有一座叫作禺同的山，山神是金马和绿鸡，象征着吉祥的光芒总是忽然闪现，当地居民经常能看见。汉宣帝派谏大夫王褒举行祭祀，渴望得到绿鸡和金马，结果王褒在路上患重病，去世了，所以皇帝没有得到。王褒《碧鸡颂》中说道：我们带着深深的尊敬来追寻，这象征着神明的金色马儿，还有那缥缈仙气的绿鸡。所以左太冲在《蜀都赋》里说道：金色的骏马在光芒中不停奔跑，没有留下影子，绿鸡总在一瞬间展现它的美丽。

【原文】

郡有叶榆县[①]，县西北八十里，有吊鸟山[②]，众鸟千百为群，其会，呜呼啁哳[③]，每岁七八月至，十六七日则止。一岁六至，雉雀来吊，夜燃火伺取之。其无嗉[④]不食，似特悲者，以为义，则不取也。俗言，凤凰死于此山，故众鸟来吊[⑤]，因名吊鸟。

【注释】

①叶榆县：古县名，西汉置，治今云南省大理市北。②吊鸟山：在今云南省大理市。③呜呼啁哳（zhāo zhā）：鸟鸣声。④嗉（sù）：鸟喉下盛食物的囊。⑤吊：祭奠死者。

【译文】

益州郡里有叶榆县，县城西北方向八十多里处，有一座吊鸟山，山上有个鸟群，里面有成百上千只鸟儿，聚在一起发出叽叽喳喳的鸣叫声，它们在每年七八月份抵达这里，十六七日又会停止飞行。一年来回多次，有幼小的麻雀来这里，人们在深夜点燃火把，躲在一边将它抓住。但是它的嗉囊里面空空荡荡，也不愿进食，人们认为这是有义气的鸟儿，就不再捕捉。传说凤凰就在这座山死去，群鸟都会来这里悼念它，所以叫作吊鸟。

【原文】

有牢山，其先有妇人，名沙壹[①]，居于牢山。捕鱼水中，触沉木若有感，因怀孕，产十子。后沉木化为龙，出水，九子惊走。小子不能去，背龙而坐，龙因舐之。其母鸟语，谓背为九，谓坐为隆，因名为九隆。及长，诸兄遂相共推九隆为王。后牢山下有一夫一妇，生十女，九隆皆以为妻，遂因孳育②，皆画身像龙文，衣皆著尾。九隆死，世世不与中国③通。汉建武二十三年，王遣兵来，乘革船南下，攻汉鹿茤④民。鹿茤民弱小，将为所擒。于是天大震雷，疾雨南风，漂起水为逆流，波涌二百余里，革船沉没，溺死数千人。后数年，复遣六王，将万许人攻鹿茤，鹿茤王与战，杀六王，哀牢耆老共埋之。其夜，虎掘而食之。明旦，但见骸骨，惊怖引去。乃惧谓其耆老小王曰：哀牢犯徼，自古有之，今此攻鹿爹，辄被天诛。中国有受命之王乎？何天祐之明也？即遣使诣越巂奉献，求乞内附，长保塞徼⑤。

【注释】

①沙壹（shā yī）：古代传说中的云南少数民族哀牢夷的祖先。②孳（zī）育：生长繁衍。③中国：中原，指黄河中下游流域地区，为华夏文化的发源地。④鹿茤（duō）：古代西南少数民族名。⑤塞徼（jiǎo）：障塞，要塞。

【译文】

此处有牢山，有个叫沙壹的女人，是这里的先人，住在牢山上。一次她去抓鱼，碰到一块沉在水中的木头，有（触电之类的）感觉，于是怀有身孕，一共生下十个儿子。那一块沉木从水中出来，变成一条龙，有九个孩子觉得十分害怕，四处跑开了。最小的那个孩子不会走路，就坐在那儿，背对着那条龙，龙伸出舌头舔这个孩子。（这个孩子）的母亲会说一种鸟语，（鸟语中）把背叫作九，隆就是坐的意思，所以孩子的母亲给这个孩子取名字叫作九隆。九隆长大后，哥哥们全部推举九隆称王。住在牢山下面的一对夫妇，孕育了十个女儿，全部都嫁给九隆为妻，（九隆和他的妻子们）不断孕育，生了很多儿女，（儿女们的）身上全都画满了龙纹，身上所穿的衣服上，都带有尾巴。九隆死后，后人们都和中原地区断了联系。汉建武二十三年，皇帝曾经带了许多军队，乘坐皮船，一路南下来到这里，攻打汉朝的鹿茤人，鹿茤人大多弱小，所以就连将军也被抓获了，这时天空突然响起阵阵雷鸣，降下倾盆大雨，从南面吹来狂风，就连水流都开始逆行，奔腾了将近两百多里，将皮船全部淹没，淹死了好几千人。数年之后，皇帝再次派了几个王侯，带着数万士兵攻打鹿茤，鹿茤王与他们展开战役，把这些王侯全部杀了，后来（这些王侯）都被哀牢父老埋葬。当晚，老虎将尸体又全部挖出吃掉。第二天早上，人们只看见一堆骨头，全部被吓得四散逃去。父老乡亲对太子说：哀牢很久之前开始攻打边疆，此次我们攻打鹿茤，马上就被上天惩罚了。中原地区真的有上天安排的帝王吗？（他们）又怎么会真的得到上天的庇佑呢。于是特意派使者送去礼物，请求他们自愿回归，（以此）长久地保持边境的和谐。

【原文】

山多大蛇，名曰髯蛇①，长十丈，围七八尺，常在树上伺鹿兽。鹿兽过，便低头绕之，有顷鹿死，先濡令湿讫，便吞，头角骨皆钻皮出。山夷始见蛇不动时，便以大竹签签蛇头至尾，杀而食之，以为珍异。故杨氏《南裔异物志》②曰：髯惟大蛇，既洪且长，采色驳荦③，其文锦章④。食豕⑤吞鹿，腴成养创。宾享嘉宴，是豆⑥是觞⑦。言其养创之时，肪腴甚肥。搏之，以妇人衣投之，则蟠⑧而不起走，便可得也。

【注释】

①髯（rán）蛇：岭南所产大蛇，可入药。②杨氏《南裔异物志》：杨孚，字孝元，东汉时南海郡番禺人（今广州市海珠区人）。汉议郎学者。他早年致力攻读经史，钻研颇深，有专著《南裔异物志》。③驳荦：文采间杂，斑驳。驳，古同“驳”。④锦章：美丽的斑纹。⑤豕（shǐ）：猪。⑥豆：古代一种盛食物的器皿。⑦觞：古代喝酒用的器物。⑧蟠（pán）：屈曲，环绕，盘伏。

【译文】

山上盛产巨蛇，名叫髯蛇，长近十丈，宽度七八尺，经常躲在树上，捕食鹿和野兽，有鹿和野兽经过树下，大蛇就低头，将它们紧紧缠绕，一会儿，鹿就会窒息而死，这时大蛇先用口水将鹿的身体舔湿，然后将其吞食，鹿角和骨骼会将（蛇的）肚皮戳破，钻出来。居民们见大蛇不动弹了，就用巨大的竹签将大蛇的头尾钉起来，杀了当作食物，他们认为这是十分珍贵的食材。杨氏所著《南裔异物志》里记载：髯是一种巨蛇，宽且长，皮肤上有多种颜色，五彩斑斓，花纹就如同制作衣裳的绸缎。喜欢吃猪和鹿等野兽，吃得太丰腴了，就会躺在地上休养治疗。人们会拿着酒食，邀请宾客一起来享用。据说这是因为，大蛇在休养的时候，肉质十分肥美鲜嫩。在抓蛇的时候，若是将女人的衣服投向它，它就不再动弹，只要将它捉走就可以了。

【原文】

越遣太子名始，降服安阳王，称臣事之。安阳王不知通神人，遇之无道，通便去，语王曰：能持此弩王[1]天下，不能持此弩者亡天下。通去，安阳王有女名曰媚珠[2]，见始端正，珠与始交通。始问珠，令取父弩视之。始见弩，便盗以锯截弩讫，便逃归报南越王。南越进兵攻之，安阳王发弩，弩折，遂败。安阳王下船迳出于海。

【译文】

①王（wàng）：动词，称王。②媚珠：是越南古代瓯洛国（又称安阳国）安阳王的女儿，她的事迹以神话形式出现。

【译文】

南越王派一个叫始的太子，降服归顺于安阳王，成为他的臣子，为他办事。安阳王不知道皋通是神人，遇到他时，十分地粗俗无礼，皋通准备离开，并对安阳王说：能掌握这把弩的人，才可以称霸于天下，若是保管不好，天下都将灭亡。皋通离开后，安阳王的女儿，名叫媚珠，见始相貌端正，心生好感，开始与他私会。始询问媚珠，并让她把安阳王的弩拿来，让他看一看，（媚珠拿来弩之后，）始将它偷走，用锯子锯断后，马上逃跑，回去将此事告诉了南越王。于是南越王带上军队，开始攻打安阳王，安阳王拿着弩开战，结果弩断了，所以（安阳王）输了战争。只好从船上下来，走着离开了海面。

【原文】

县有猩猩兽，形若黄狗，又状貆[1]豘。人面，头颜端正，善与人言，音声丽妙，如妇人好女。对语交言，闻之无不酸楚。其肉甘美，可以断谷，穷年不厌。

【注释】

①貆（huán）：幼小的貉。

【译文】

县里有叫猩猩的野兽，看起来就如同黄色的狗，有时看来又有一点像貆纯。（猩猩）长着人的面孔，样貌姣好，擅长和人说话打交道，声音清丽，听起来十分美妙，就像是长相美丽的女人。与它说话的时候，听了总觉得心里十分难过酸楚。它的肉质非常鲜美甘甜，可以代替平日里的粮食，整年食用也不会烦腻。

【原文】

盐水有神女，谓廪君[①]曰：此地广大，鱼盐所出，愿留共居。廪君不许，盐神暮辄来宿，旦化为虫，群飞蔽日，天地晦瞑。积十余日，廪君因伺便射杀之，天乃开明。廪君乘土舟，下及夷城。夷城石岸险曲，其水亦曲。廪君望之而叹，出崖为崩。廪君登之。上有平石，方二丈五尺，因立城其傍而居之。四姓臣之。死，精魂化而为白虎，故巴氏以虎饮人血，遂以人祀。

【注释】

①廪君：相传，远古的时候，土家族的祖先巴务相被推为五姓部落的酋领，称为“廪君”。

【译文】

盐水有一个盐神，她对廪君说：我们所居住的地域十分广阔，盛产鱼盐，我希望你为我留下，和我一起居住在这里。廪君不愿意，没有答应，于是每一天傍晚，盐神来和廪君睡在一起，到了白天，就变成成群结队的飞蛾，将太阳遮住，整个世界一片黑暗。十多天后，廪君找到机会把她杀死，天空重新明亮起来。廪君乘着土船，向下驶去，前往夷城。夷城周围的石岸弯弯曲曲，十分险峻，水流也是弯弯曲曲的，廪君看着这里，深深叹息，山顶因此崩塌。廪君爬上山后，发现上面有一块非常平坦的石头，约二丈五尺，就在旁边建立了一座城池，周围的百姓担任他的臣子。他死后，魂魄变成了一只白虎，所以巴氏认为，这只老虎以饮用人血为生，于是专门用人来祭祀它。

【原文】

村人骆都，小时到此室边采蜜，见一仙人，坐石床上，见都，凝瞩不转。都还，招村人重往，则不复见，乡人今名为仙人室。

【译文】

村里面有一个人叫骆都，儿童时期，他经常来这个山洞旁边采集蜂蜜，（有一天，他）看到了一个神仙，坐在石床上面，看见他之后，眼珠子也不动一下。等骆都回到村里，叫上村里的人重新来到这里时，却找不到那个神仙了。所以乡亲们将这里取名为仙人室。

## 卷三十八　资水、湘水、溱水

【原文】

昔关羽屯军水北，孙权令鲁肃、甘宁拒之于是水。宁谓肃曰：羽闻吾咳唾之声，不敢渡也，渡则成擒矣。羽夜闻宁处分，曰：兴霸声也，遂不渡。

【译文】

过去关羽在（资）水北面驻扎军队，于是孙权向鲁肃、甘宁下令，要在水上将关羽拦截。甘宁对鲁肃说：如果关羽听见我的咳嗽声，他就不敢再渡水了，过来就会被抓获。于是关羽在夜里，听见甘宁的咳嗽声，便说道：这是兴霸传达信息的声音。就不再渡水。

【原文】

湖水西流，迳二妃庙南，世谓之黄陵庙也。言大舜之陟方[①]也，二妃[②]从征，溺于湘江。神游洞庭之渊，出入潇湘之浦。潇者，水清深也。《湘中记》曰：湘川清照五六丈，下见底石，如樗蒲[③]矢，五色鲜明，白沙如霜雪，赤崖若朝霞，是纳潇湘之名矣。故民为立祠于水侧焉。

【注释】

①陟方：巡狩，天子外出巡视。②二妃：娥皇、女英，传说中舜帝的两位妻子。③摴蒱（chū pú）：即“樗蒲”，古代的一种掷色子之类的游戏。

【译文】

湖水向西面流去，经过二妃庙南面，后世将这座寺庙叫作黄陵庙。据传说舜帝曾经来这里巡访，他的两个妃子伴随左右，结果淹死在湘江。于是她们的灵魂一直在洞庭湖上徘徊，在湘江周边进进出出。潇的意思就是水流清澈、深邃。《湘中记》记载：湘水清澈透明，可以看见水底五六丈的石头，就像是散落的珠子，一颗一颗，五颜六色，色彩非常艳丽，白色沙滩如雪花那般无瑕，红色悬崖像朝霞一样明艳美丽，此被称为潇湘。舜帝的那两个妃子死于此地，后世为她们在湘水旁建了一座祠堂（纪念她们）。

【原文】

王歆之《始兴记》曰：林水源里有石室，室前磐石上，行罗十瓮，中悉是饼银，采伐遇之不得取，取必迷闷，晋太元初，民封驱之家仆，密窃三饼归，发看，有大蛇螫[①]之而死。《湘州记》曰：其夜，驱之梦神语曰：君奴不谨，盗银三饼，即日显戮，以银相偿。觉视，则奴死银在矣。

【注释】

①螫（shì）：同“蜇”，有毒腺的虫子用尾部的毒刺刺人或牲畜。

【译文】

王歆之《始兴记》中说道：林水源头有一个石室，这个居室前面的大石头上，排列了十个瓮，里面装着银块。如果有人去山上伐木，遇到这些坛子，是不能拿那些银块的，若是拿了，就会犯迷糊，感觉呼吸不畅。晋太元初，有一个叫封驱之的人，他的侍从拿了三块银块回家，拿出来的时候，出现一条巨蛇将他咬死。《湘州记》记载：当天夜里，封驱之梦见一个神仙，神仙对他说：你的侍从行为不严谨，拿了三块银块，今天他就会被杀死，那些银子是留给你的补偿。封驱之睡醒后查看，发现他的侍从已经死了，但是银块还在原地。

【原文】

古老言，昔有二仙，分而憩之，自尔[①]年丰，弥历一纪[②]。利水又南迳灵石下。灵石，一名逃石，高三十丈，广圆五百丈。耆旧传言，石本桂林武城县，因夜迅雷之变，忽然迁此，彼人来见，叹曰：石乃逃来！因名逃石，以其有灵运徙，又曰灵石。其杰处，临江壁立，霞驳有若缋[③]焉。水石惊濑，传响不绝，商舟淹留，聆玩不已。

【注释】

①自尔：从此。②一纪：岁星（木星）绕地球一周约需十二年，故古称十二年为一纪。③缋（huí）：指画有珍贵事物形象的布帛。

【译文】

老人们传言，这里曾住着两个神仙，（这两个神仙）各占了一块地方休息，十多年里，每一年都是大丰收。利水往南面流去，经过灵石的下方，灵石又叫逃石，高三十丈，长至方圆五百丈。老人们说，这原本是桂林武城县里的一块石头，某天夜里，惊天巨雷带来了变故，忽然石头就被迁移到此处，武城当地人到这里一看，感叹道：原来石头是逃到这里来了。所以得名逃石。因为这块石头带着神明的灵性，可以自由地行走，所以也叫灵石。石头最高处，靠近江水，立着一块峭壁，霞光照射下来，颜色斑驳，就像美丽的画布。水撞击在石头上会发出惊天巨响，很久不停，经商的船舶经过这里，都会停留下来，聆听游玩。

【原文】

溱水[①]又西南迳中宿县[②]，会一里水，其处隘，名之为观岐。连山交枕，绝崖壁竦，下有神庙，背阿面流，坛宇虚肃，庙渚攒石，巉岩乱峙中川。时水洊至[③]，鼓怒沸腾，流木沦没，必无出者。世人以为河伯下材。晋中朝时，县人有使者至洛，事讫[④]将还。忽有一人寄其书云：吾家在观岐前，石间悬藤，即其处也。但叩藤，自当有人取之，使者谨依其言，果有二人出外取书，并延入水府，衣不沾濡。

【注释】

①溱水：是珠江水系的河流，溱水的上源是现在的武水，中下流是现在的北江。②中宿县：汉武帝元鼎六年置，在今广东清新县龙颈镇城村。③洊（jiàn）至：再至，相继而至。④讫（qì）：（事情）完结。

【译文】

溱水往西南方向流去，经过中宿县，与一里水汇合，十分狭窄，被称为观岐。山峰相互交错，连绵不绝，悬崖峭壁险绝，十分陡峭，山下有一座寺庙，背靠着山，正对着水流，寺庙里面空荡严肃，外面堆满石头，乱七八糟地摆在中间。洪水接踵而至，十分汹涌，经过的木头都会被淹没，无一逃脱，人们认为是被水神拿走了。晋中朝，有使者到达洛阳，办理事务，回去的时候，有人拜托他寄信，上面写着：我家住在观岐前，就在那个垂下树藤的石头中间。敲一下那些树藤，就会有人出来拿信。使者按他的话去做，结果真的有两个人出来拿信，并且邀请他去水里面的住所中，（进入水中后）衣服一点都没有弄湿。

## 卷三十九　耒水、赣水

【原文】

《东观汉记》曰：茨充，字子河，为桂阳太守，民惰懒，少粗履，足多剖裂，茨教作履。今江南知织履，皆充之教也。黄溪东有马岭山，高六百余丈。广圆四十许里。汉末有郡民苏眈，栖游此山。《桂阳列仙传》云：眈，郴县[①]人，少孤，养母至孝。言语虚无，时人谓之痴。常与众儿共牧牛，更直为帅，录牛无散。每至眈为帅，牛辄徘徊左右，不逐自还。众儿曰：汝直，牛何道不走耶？眈曰：非汝曹[②]所知。即面辞母云：受性应仙，当违供养。涕泗又说：年将大疫，死者略半，穿一井饮水，可得无恙。

【注释】

①郴（chēn）县：秦置郴县，"郴"字为篆书"林"与"邑"二字组合，意思为"林中之城"。②汝曹：你们这些人。汝，你。曹，辈、们、类。

【译文】

《东观汉记》记载：茨充，字子河，桂阳太守，当地民众十分懒散，就连粗制滥造的鞋子都极少，所以（百姓）脚上有非常多的伤口、裂痕，于是茨充就教他们制作鞋子。如今江南地带，会制作鞋子的人都是由他所教。在黄溪东面坐落着马岭山，高六百余丈，面积方圆四十里。汉朝末期，当地有一个人名叫苏眈，游历此山并定居于此。《桂阳列仙传》记载：苏眈，郴县人，年少丧父，所以十分孝顺母亲。但是说话常常让人摸不着头脑，所以大家都说他的脑子有问题。他常常与其他的小孩一起放牧，大家轮流值班，（选派一个人）当领导者，来管理牛群。每次轮到他的时候，牛群就会一直在他身边走来走去，不需要人驱逐就会回来。孩子们问他：你管理的时候，为什么牛不乱走呢？他回答道：这些事情你们怎么会知道呢。于是苏眈和母亲告别，说道：我的本性已经被定为神仙，所以要违抗您，不再侍奉您了。说完又痛哭流涕地说道：今年这里会发生一场巨大的瘟疫，一半的人会因此丧命。只要开凿一口井，并饮用里面的水，就会相安无事。

【原文】

《异物志》曰：石色黄白而理疏，以水灌之便热，以鼎著其上，炊足以熟。置之则冷，灌之则热，如此无穷。

【译文】

《异物志》记载：这种石头颜色呈黄色和白色，石头纹理十分稀疏，用水灌它，就会开始发热，如果把锅放在石头上方，只需要煮一会儿食物就会煮熟。放在一旁不管它，就会渐渐冷却，再拿水浇它就会发热，可以长久这样使用。

【原文】

《寻阳记》曰：庐山上有三石梁，长数十丈，广不盈尺，杳然无底。吴猛[①]将弟子登山，过此梁，见一翁坐桂树下，以玉杯承甘露浆与猛。又至一处，见数人为猛设玉膏。猛弟子窃一宝，欲以来示世人，梁即化如指。猛使送宝还，手牵弟子，令闭眼相引而过。

【注释】

①吴猛：晋代道士，字世云，濮阳（今河南濮阳县）人。

【译文】

《寻阳记》记载：庐山上有一块三石梁，长数十丈，但宽度不到一尺，深邃得看不见底部。吴猛曾经带徒弟们爬山，经过这块三石梁，看见桂树下坐着一个老人，（老人）拿了一只装满玉露的杯子递给吴猛。吴猛又到了别处，看见许多人为他摆满玉膏。吴猛的徒弟偷窃了一样宝物，想要向世人炫耀，石梁马上变得细如手指。于是吴猛拉着自己的弟子，闭上眼睛走过去，让他把宝物还回去。

## 卷四十　浙江水

【原文】

江北即临安县界，水北对郭文①宅，宅傍山面溪，宅东有郭文墓，晋建武元年，骠骑②王导③迎文，置之西园，文逃此而终，临安令改葬之。建武十六年，县民郎稚④作乱，贺齐讨之。孙权分余杭立临水县，晋改曰临安县，因冈为城，南门尤高，谢安莅郡游县，径此门，以为难为亭长⑤。

【注释】

①郭文：字文举，是河内轵地人，从小喜欢山水，崇尚退隐。②骠骑（piào qí）：是指飞骑，也用作古代将军的名号。③王导：字茂弘，小字阿龙，琅玡临沂（今山东省临沂）人，东晋时期著名政治家、书法家，历仕晋元帝、明帝和成帝三朝，是东晋政权的奠基人之一。④郎稚：人名。⑤亭长：乡官名，级别相当于现在的村长，现今考究最早起源于战国时期。

【译文】

浙江水的北面是临安县的边界，水的北面正对郭文的房子，房屋背靠山，面对溪水，房屋的东边是郭文的坟墓。晋建武元年，骠骑将军王导将郭文接出来，并将其安顿在西园之中。郭文却逃离西园来到这里养老，死后临安县令将他安葬在这里。建安十六年，县城里有一个叫郎稚的人带兵起义，皇帝派遣贺齐去征讨他。孙权将余杭县的部分土地划分出来，并建立临水县，临水县到晋朝时更名为临安县。临安县城修建在山冈上，县城的南门高大雄伟。谢安曾经到这个郡县游玩，在经过这座城门时，不禁觉得在这任职的村长，要管理好这里很不容易。

【原文】

浙江又东迳乌伤县北，王莽改曰乌孝，《郡国志》谓之乌伤。《异苑》曰：东阳颜乌以淳孝著闻，后有群乌助衔土块为坟，乌口皆伤，一境以为颜乌至孝，故致慈乌，欲令孝声远闻，又名其县曰乌伤矣。

【译文】

浙江又向东边流经乌伤县的北面，王莽将其更名为乌孝县，而《郡国志》中将乌孝称为乌伤。《异苑》中说：东阳的颜乌，因为非常孝顺而闻名于外，他死后，有一大群乌鸦衔来泥土为他修缮坟墓，乌鸦的嘴巴因而都受了伤。乡里的百姓都认为是颜乌的孝吸引了善良的乌鸦，为了让更多的人都知道他的孝心，所以人们把县的名字定为乌伤。

【原文】

刘敬叔《异苑》曰：孙权时，永康县有人入山，遇一大龟，即束之以归。龟便言曰：游不量时，为君所得。担者怪之，载出欲上吴王，夜宿越里，缆船于大桑树，宵中，树忽呼龟曰：元绪奚事尔也？龟曰：行不择日，今方见烹，虽尽南山之樵，不能溃我。树曰：诸葛元逊①识性渊长，必致相困，令求如我之徒，计将安治？龟曰：子明无多辞。既至建业，权将煮之，烧柴万车，龟犹如故。诸葛恪曰：燃以老桑乃熟。献人仍说龟言，权使伐桑取煮之即烂。故野人呼龟为元绪。

【注释】

①诸葛元逊：诸葛恪，字元逊，琅玡阳都（今山东沂南）人。三国时期吴臣，蜀丞相诸葛亮之侄，吴大将军诸葛瑾长子。

【译文】

刘敬叔在《异苑》中说：孙权掌权时期，永康县里有人进山，在山中看到一只大龟，就把大龟绑回家。在回家的路上，大龟对这个人说：我没有挑好日子出来游玩，所以才被你抓住了。挑乌龟的人听完后觉得很诧异，就想将这只乌龟献给吴王。到了晚上，他在越里这个地方休息，然后把船系在桑树下。夜半时分，桑树忽然对乌龟说："元绪，你怎么了？"乌龟回答说："我出门没挑好日子，估计就要被煮了。即使他们将南山上所有的柴都烧完，也煮不烂我。"桑树说："那里有个叫诸葛元逊的人，他学识渊博，一定会想到办法来对付你的，假如他们用像我这样的老桑树来烹煮你，你该怎么办？"乌龟说："子明，你无须多言了。"一到建业，孙权就决定要烧煮他，可烧了许多柴火之后，乌龟还是完好无损。诸葛就对孙权说："用老桑树就能够煮熟它。"献龟的人将乌龟所说的话告诉了孙权，孙权就派人砍来了老桑树的枝干，果然有用。所以人们（后来）称乌龟为元绪。

【原文】

《东阳记》云：信安县有悬室坂。晋中朝时，有民王质，伐木至石室中，见童子四人弹琴而歌，质因留，倚柯听之。童子以一物如枣核与质，质含之便不复饥。俄顷[①]，童子曰：其归。承声而去，斧柯漼然烂尽。既归，质去家已数十年，亲情凋落，无复向时比矣。

【注释】

①俄顷：片刻，一会儿。

【译文】

《东阳记》中说：信安县有一个悬室坂。在晋朝中叶的时候，有一个叫王质的人，他在砍伐树木的时候进到这个石室里头，看到有四个小孩一边弹琴一边唱歌，王质被他们的歌声所吸引，便留了下来，倚靠在斧柄上听他们唱歌。其中一个小孩拿了一颗像枣核般的东西给王质，王质将这东西含在口中后就不再感到饥饿。过了没多久，有一个小孩说：你回去吧。王质听到小孩的话准备回去，此时，他发现斧柄已经腐烂成尘土了。等他回到家中，发现他离开家乡已有几十年了，家中的亲人都去世了，而家乡发生了巨大的改变，不再是他离开前的那般模样了。

【原文】

闽中有徐登者，女子化为丈夫，与东阳赵昞并善越方。时遭兵乱，相遇于溪，各示所能。登先禁溪水为不流，昞次禁枯柳，柳为生荑①，二人相视而笑。登年长昞，师事之。后登身故，昞东入章安，百姓未知，昞乃升茅屋，梧鼎而爨②。主人惊怪，昞笑而不应，屋亦不损。又尝临水求渡，船人不许，昞乃张盖坐中，长啸呼风，乱流而济。于是百姓神服，从者如归，章安令恶而杀之，民立祠于永宁，而蚊蚋③不能入。昞秉道怀术，而不能全身避害，事同苌弘④、宋元之龟⑤，厄运之来，故难救矣。

【注释】

①荑（tí）：植物初生的叶芽。②爨（cuàn）：一般指烧火煮饭。③蚊蚋（ruì）：通常指蚊子。④苌（cháng）弘：字叔，又称苌叔。在内讧中，苌弘被周人杀死，传说死后三年，其血化为碧玉。⑤宋元之龟：出自《史记·列传·龟策列传》："宋元王时得龟，亦杀而用之。"

【译文】

闽中有一个叫徐登的人，他原本是一个女子，后来却变成了男人，他与东阳的赵昞都擅长巫术。当时天下战乱频发，他们二人在乌伤溪水相遇，各自展示了自己的本事。徐登先设法让溪水停止流动；接着赵昞让枯萎的柳树重新发芽，两人相视而笑成了朋友。徐登年纪大些，赵昞便拜徐登为师。徐登死后，赵昞向东前往章安，百姓都不认识他，他爬到茅屋上，架起鼎炉做饭，茅屋主人发现之后非常害怕，赵昞笑而不答，做完饭后，茅屋丝毫未损。他曾经到河边请求船夫助他渡水，但是船夫没有答应，赵昞就坐在张开的雨伞之中，借助风力渡过汹涌的河水。于是，百姓都佩服他的本领，许多人都拥戴他。但章安县令十分厌恶他，于是就杀了他。百姓在永宁县为他修建了一座坚固无比的祠堂，连蚊虫都不能进入。赵昞身怀巫术，却不能用巫术使自己幸免于难。这件事和周朝的苌弘及宋元公的神龟有相似之处，它告诉我们当噩运来临之时，想要拯救自己是很困难的。